FACTO school

1-2

초등 **수학**

팩토

단원별
계산력
수학

단원

100까지의 수

매스티안

5. 50까지의 수
· 50까지 수
· 수의 크기 비교

1-2

1. 세 자리 수
· 세 자리 수
· 수의 크기 비교

2-1

1-1

1. 9까지의 수
· 0~9까지 수
· 1 큰 수와 1 작은 수
· 수의 크기 비교

1. 100까지의 수
· 100까지 수
· 수의 크기 비교
· 짝수와 홀수

1 100까지의 수

Teaching Guide

두 자리 수 쓰기에서 '사십삼'을 403 또는 4103 등으로 잘못 쓰는 경우가 있습니다. 43에서 숫자 4는 단순히 4가 아니라 10개씩 묶음이 4개인 수로 40을 나타냅니다. 아이도 40을 나타낸다는 것까지는 알고 있습니다. 그러나 이것을 수로 표현할 때 자릿값에 대한 개념이 충분하지 않기 때문에 403 또는 4103 등으로 잘못 표현하는 것입니다. 또한 99를 '구구'라고 읽는 경우도 자릿값을 생각하지 않고 숫자만 읽으려고 해서 그렇습니다. 아이와 함께 연결큐브 교구 등으로 43을 만드는 활동을 통하여 10개씩 묶음 4개가 의미하는 것이 40이며, 낱개 3개가 더해져서 43이 된다는 방식으로 위치적 기수법의 기초 개념이 형성되도록 지도합니다.

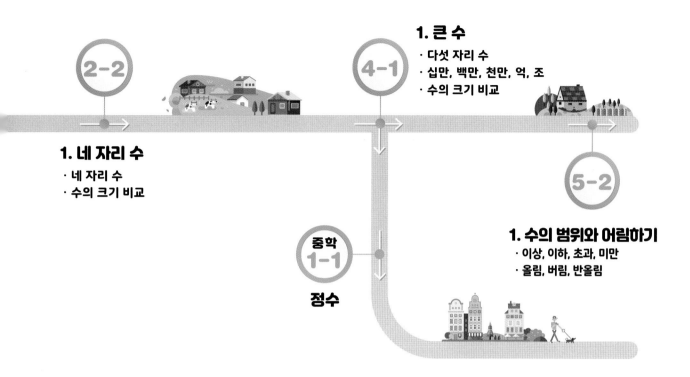

1. 큰 수
· 다섯 자리 수
· 십만, 백만, 천만, 억, 조
· 수의 크기 비교

2-2

4-1

5-2

1. 네 자리 수
· 네 자리 수
· 수의 크기 비교

중학 **1-1**

정수

1. 수의 범위와 어림하기
· 이상, 이하, 초과, 미만
· 올림, 버림, 반올림

공부한 날짜

❶일차 60, 70, 80, 90
월 일

❷일차 99까지의 수
월 일

❸일차 수의 순서
월 일

❹일차 수의 크기 비교
월 일

❺일차 응용 문제
월 일

❻일차 형성 평가
월 일

❼일차 단원 평가
월 일

01 60, 70, 80, 90

정답 02쪽

	수	읽기
→ 10개씩 6묶음이면 60	→	육십, 예순
→ 10개씩 7묶음이면 70	→	칠십, 일흔
→ 10개씩 8묶음이면 80	→	팔십, 여든
→ 10개씩 9묶음이면 90	→	구십, 아흔

 1 수를 읽으며 따라 써 보세요.

육십	육십	육십	60	예순	예순	예순

칠십	칠십	칠십	70	일흔	일흔	일흔

팔십	팔십	팔십	80	여든	여든	여든

구십	구십	구십	90	아흔	아흔	아흔

② 같은 수끼리 이어 보세요.

   •   • 80 •   • 칠십

   •   • 70 •   • 팔십

   •   • 60 •   • 구십

     •   • 90 •   • 육십

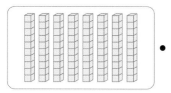   •   • 70 •   • 여든

   •   • 80 •   • 예순

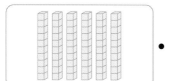   •   • 90 •   • 일흔

   •   • 60 •   • 아흔

그림을 보고 ▨ 안에 알맞은 수를 써넣으세요.

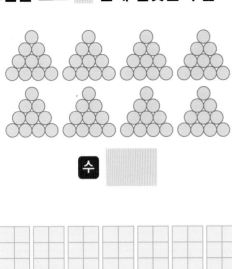

수 ▨

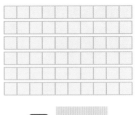

수 ▨

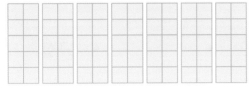

수 ▨

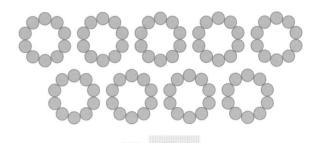

수 ▨

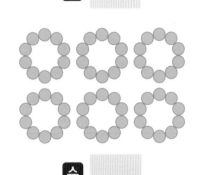

수 ▨

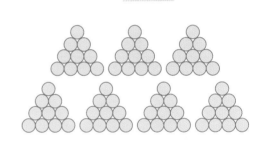

수 ▨

수 ▨

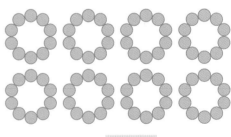

수 ▨

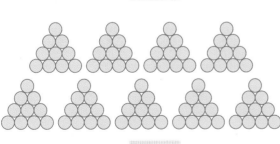

수 ▨

수 ▨

4 I0개씩 묶어 세어 보세요.

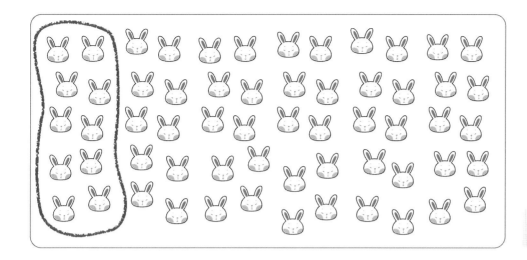 마리

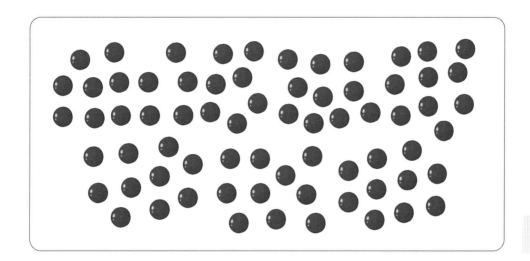 개

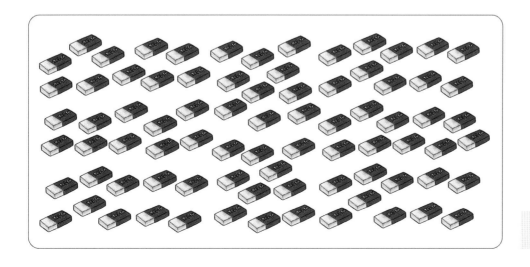 개

02 99까지의 수

🍂 **몇십몇 알아보기**

 그림을 보고 ☐ 안에 알맞은 수를 쓰고 읽어 보세요.

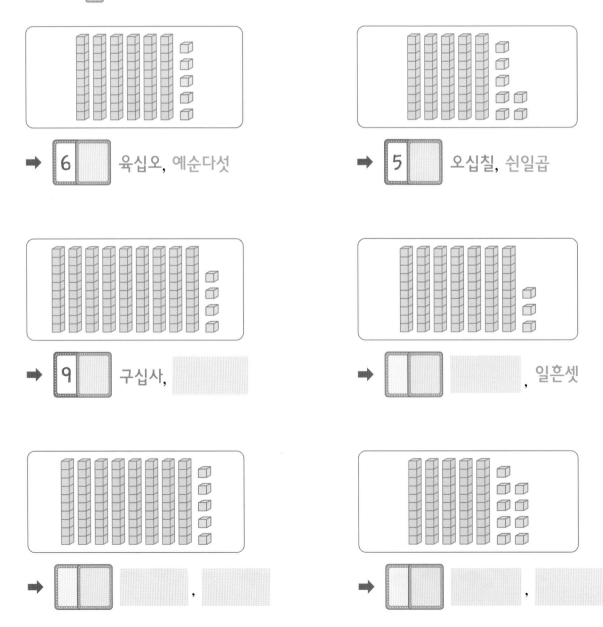

➡ 6☐ 육십오, 예순다섯

➡ 5☐ 오십칠, 쉰일곱

➡ 9☐ 구십사, _____

➡ ☐☐ _____, 일흔셋

➡ ☐☐ _____, _____

➡ ☐☐ _____, _____

2 동전을 세어 ▨ 안에 알맞은 수를 써넣으세요.

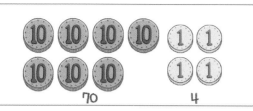

70   4

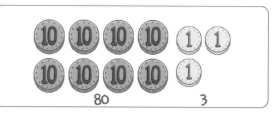

80   3

3 그림을 보고 수로 나타내고 읽어 보세요.

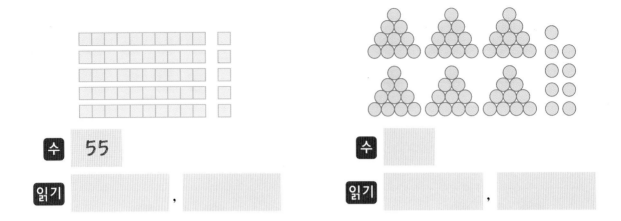

수	55

읽기		,	

수	

읽기		,	

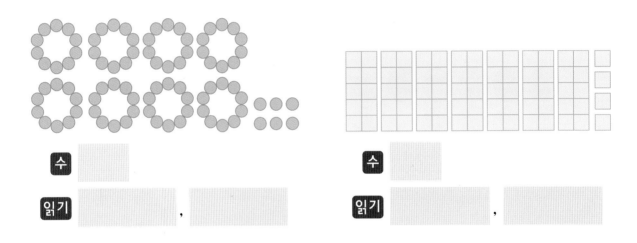

수	

읽기		,	

수	

읽기		,	

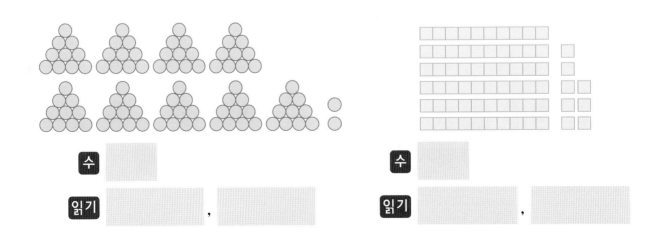

수	

읽기		,	

수	

읽기		,	

4 빈 곳에 알맞은 수를 써넣으세요.

오십|사
50 4
➡

칠십|팔
70 8
➡

팔십|삼
80 3
➡

육십이 ➡

팔십칠 ➡

구십육 ➡

칠십일 ➡

오십육 ➡

육십사 ➡

팔십오 ➡

육십팔 ➡

구십칠 ➡

구십일 ➡

칠십이 ➡

오십구 ➡

여든|일곱
80 7
➡

예순|넷
60 4
➡

일흔|아홉
70 9
➡

쉰여덟 ➡

아흔다섯 ➡

예순둘 ➡

아흔하나 ➡

여든셋 ➡

쉰여섯 ➡

쉰하나 ➡

일흔여섯 ➡

예순일곱 ➡

일흔여덟 ➡

아흔넷 ➡

여든둘 ➡

03 수의 순서

🍃 100 알아보기

51	52	53	54	55	56	57	58	59	60
61	62	63	64	65	66	67	68	69	70
71	72	73	74	75	76	77	78	79	80
81	82	83	84	85	86	87	88	89	90
91	92	93	94	95	96	97	98	99	100

99보다 1만큼 더 큰 수를 100이라고 합니다.

쓰기 100   읽기 백

+1

1 순서를 생각하며 빈 곳에 알맞은 수를 써넣으세요.

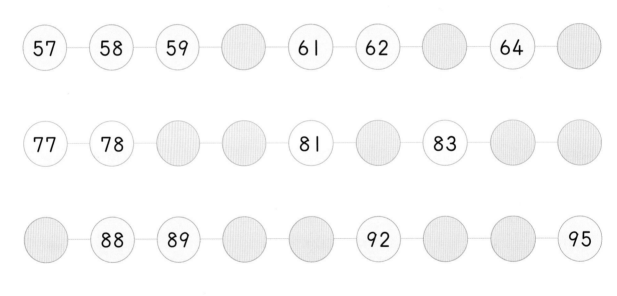

57 — 58 — 59 — ◯ — 61 — 62 — ◯ — 64 — ◯

77 — 78 — ◯ — ◯ — 81 — ◯ — 83 — ◯ — ◯

◯ — 88 — 89 — ◯ — ◯ — 92 — ◯ — ◯ — 95

앞의 수		뒤의 수		앞의 수		뒤의 수		앞의 수		뒤의 수
64		66		77		79		60		62
72		74		89		91		78		80
95		97		92		94		84		86

2 보기 와 같이 규칙을 찾아 빈칸에 알맞은 수를 써넣으세요.

보기

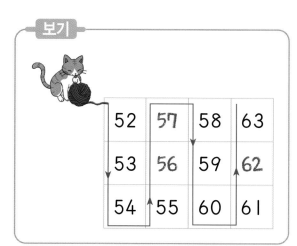

52	57	58	63
53	56	59	62
54	55	60	61

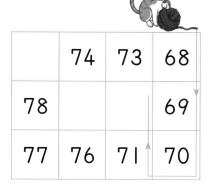

	74	73	68
78			69
77	76	71	70

75		83	82
76	85	86	
	78	79	80

55	56	57	
64	65		59
	62	61	60

98	97	92	
99	96	93	90
	95		89

84	83	82	
77		79	80
76		74	73

62			69
61		67	70
60	65	66	71

94	93	92	
95		97	90
86	87		89

3 수를 순서대로 선으로 이어 보세요.

시작 63	69	68
64	67	70
66	65	71

시작 56	61	62
60	57	63
59	58	64

75	시작 74	80
76	81	79
82	77	78

97	90	시작 89
94	96	91
95	93	92

97	98	99
시작 91	96	94
92	93	95

63	64	65
62	66	시작 59
61	60	67

70	71	73
69	74	72
시작 67	68	75

85	시작 79	87
84	86	80
83	82	81

4 **주어진 표에서 빠진 수를 찾아 써 보세요.**

55부터 71까지의 수

60	55	67	64
58	61	70	56
69	66	57	71
63	68	62	65

빠진 수: **59**

61부터 77까지의 수

71	62	76	65
68	73	61	75
63	66	69	77
72	64	74	70

빠진 수:

80부터 96까지의 수

81	92	95	84
93	85	91	96
90	82	94	80
86	88	83	87

빠진 수:

59부터 75까지의 수

67	75	61	73
59	72	74	70
65	68	62	64
69	60	71	63

빠진 수:

78부터 94까지의 수

80	89	94	81
92	86	91	88
83	78	93	84
87	90	82	79

빠진 수:

83부터 99까지의 수

95	98	86	90
92	89	99	83
84	96	94	97
87	93	85	88

빠진 수:

04 수의 크기 비교

초등 1-2

① 100까지의 수

64 **>** 56

- 64는 56보다 큽니다. ➡ 64>56
- 56은 64보다 작습니다. ➡ 56<64

 ① ● 안에 >, <를 알맞게 써넣고, 알맞은 말에 ○표 하세요.

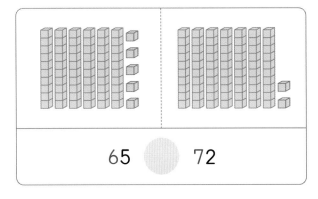

65 ● 72

➡ 65는 72보다 (큽니다 , 작습니다).

57 ● 53

➡ 57은 53보다 (큽니다 , 작습니다).

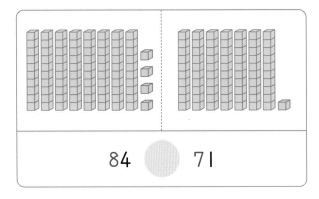

84 ● 71

➡ 84는 71보다 (큽니다 , 작습니다).

63 ● 69

➡ 63은 69보다 (큽니다 , 작습니다).

2 같은 종류의 동전끼리 수를 비교하여 ◯ 안에 >, <를 알맞게 써넣으세요.

60>50

65 **>** 59

75 ◯ 82

90 ◯ 80

85 ◯ 95

63 ◯ 57

94 ◯ 75

79 ◯ 80

70 ◯ 90

78 ◯ 87

72 ◯ 59

77 ◯ 66

90 ◯ 100

3 같은 종류의 동전끼리 수를 비교하여 ◯ 안에 >, <를 알맞게 써넣으세요.

보기

80=80

2<5

82 < 85

74 ◯ 73

61 ◯ 60

92 ◯ 95

59 ◯ 57

87 ◯ 83

95 ◯ 98

66 ◯ 64

73 ◯ 70

55 ◯ 58

86 ◯ 89

90 ◯ 93

4 크기를 비교하여 ⬤ 안에 >, <를 알맞게 써넣으세요.

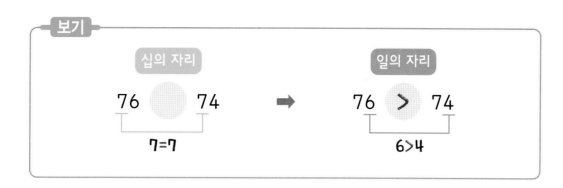

58 < 81   65 ⬤ 62   86 ⬤ 68
5<8

79 ⬤ 89   87 ⬤ 94   66 ⬤ 77

70 ⬤ 60   81 ⬤ 71   96 ⬤ 92

65 ⬤ 56   73 ⬤ 80   77 ⬤ 87

90 ⬤ 99   100 ⬤ 99   50 ⬤ 60

61 ⬤ 62   59 ⬤ 95   88 ⬤ 87

98 ⬤ 88   58 ⬤ 63   79 ⬤ 72

도전! 응용 문제

🌰 **짝수와 홀수**

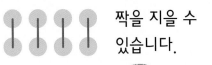 짝을 지을 수 있습니다.

8 ➡ ((짝수) , 홀수)

 짝을 지을 수 없습니다.

7 ➡ (짝수 , (홀수))

응용 ① 둘씩 짝을 지은 것을 보고, 모두 짝을 지을 수 있는 수는 '짝수'에, 짝을 지을 수 없는 수는 '홀수'에 ◯표 하세요.

I개 ➡ (짝수 , 홀수)

2개 ➡ (짝수 , 홀수)

3개 ➡ (짝수 , 홀수)

4개 ➡ (짝수 , 홀수)

5개 ➡ (짝수 , 홀수)

6개 ➡ (짝수 , 홀수)

7개 ➡ (짝수 , 홀수)

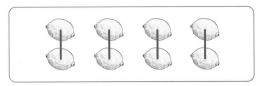

8개 ➡ (짝수 , 홀수)

9개 ➡ (짝수 , 홀수)

IO개 ➡ (짝수 , 홀수)

둘씩 짝을 지어보고, 짝을 지을 수 있는 수는 '짝수'에, 짝을 지을 수 없는 수는 '홀수'에
○표 하세요.

보기

|| ➡ (짝수 , (홀수))

|2 ➡ (짝수 , 홀수)

|3 ➡ (짝수 , 홀수)

|4 ➡ (짝수 , 홀수)

|5 ➡ (짝수 , 홀수)

|6 ➡ (짝수 , 홀수)

|7 ➡ (짝수 , 홀수)

|8 ➡ (짝수 , 홀수)

|9 ➡ (짝수 , 홀수)

20 ➡ (짝수 , 홀수)

응용 **3** 둘씩 짝을 지을 수 있는 수는 '짝수'에, 짝을 지을 수 없는 수는 '홀수'에 ◯표 하고, 알 수 있는 사실을 완성해 보세요.

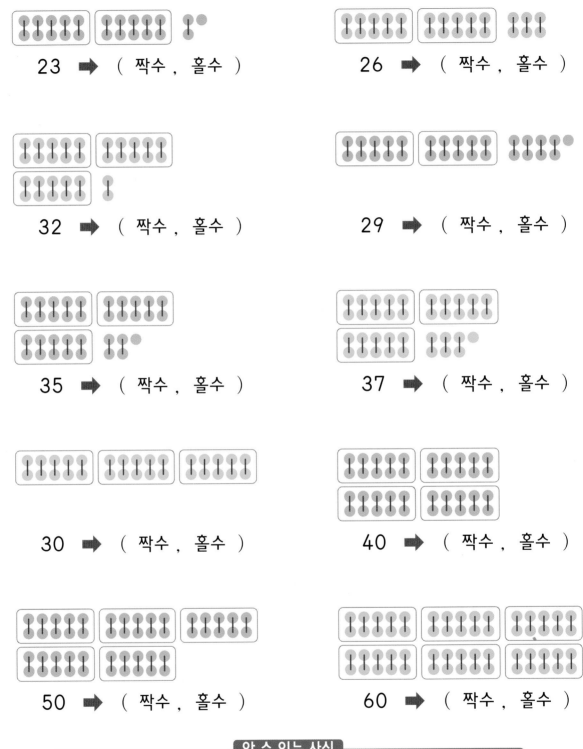

23 ➡ (짝수 , 홀수)

26 ➡ (짝수 , 홀수)

32 ➡ (짝수 , 홀수)

29 ➡ (짝수 , 홀수)

35 ➡ (짝수 , 홀수)

37 ➡ (짝수 , 홀수)

30 ➡ (짝수 , 홀수)

40 ➡ (짝수 , 홀수)

50 ➡ (짝수 , 홀수)

60 ➡ (짝수 , 홀수)

알 수 있는 사실

◦ 1, 3, 5, 7, 9로 끝나는 수는 (짝수 , 홀수)입니다.

◦ 2, 4, 6, 8, 0으로 끝나는 수는 (짝수 , 홀수)입니다.

◦ 10, 20, 30, 40, ……, 100은 (짝수 , 홀수)입니다.

27 ➡ (짝수 , 홀수)　　　36 ➡ (짝수 , 홀수)

42 ➡ (짝수 , 홀수)　　　95 ➡ (짝수 , 홀수)

81 ➡ (짝수 , 홀수)　　　60 ➡ (짝수 , 홀수)

19 ➡ (짝수 , 홀수)　　　55 ➡ (짝수 , 홀수)

74 ➡ (짝수 , 홀수)　　　23 ➡ (짝수 , 홀수)

98 ➡ (짝수 , 홀수)　　　14 ➡ (짝수 , 홀수)

43 ➡ (짝수 , 홀수)　　　38 ➡ (짝수 , 홀수)

29 ➡ (짝수 , 홀수)　　　67 ➡ (짝수 , 홀수)

76 ➡ (짝수 , 홀수)　　　52 ➡ (짝수 , 홀수)

99 ➡ (짝수 , 홀수)　　　80 ➡ (짝수 , 홀수)

01 수를 읽으며 따라 써 보세요.

육십	60	예순
칠십	70	일흔
팔십	80	여든
구십	90	아흔

02 같은 수끼리 이어 보세요.

70 •   • 구십

90 •   • 칠십

80 •   • 팔십

60 •   • 육십

03 같은 수끼리 이어 보세요.

80 •   • 아흔

60 •   • 여든

70 •   • 예순

90 •   • 일흔

04 ☐ 안에 알맞은 수를 써넣으세요.

(1)

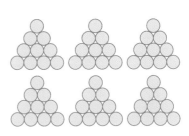

수 ☐

(2)

수 ☐

05 10개씩 묶어 세어 보세요.

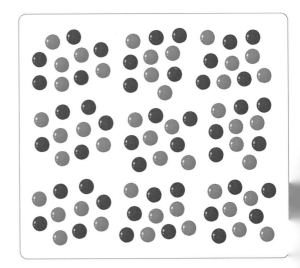

☐ 개

06 그림을 보고 ☐ 안에 알맞은 수를 쓰고 읽어 보세요.

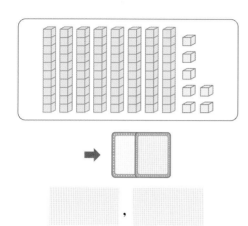

➡

 ,

07 동전을 세어 ☐ 안에 알맞은 수를 써넣으세요.

(1)

(2)

08 그림을 보고 수로 나타내고 읽어 보세요.

(1)

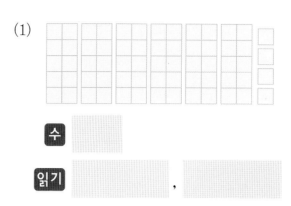

수

읽기 ,

(2)

수

읽기 ,

09 빈 곳에 알맞은 수를 써넣으세요.

(1) 오십육 ➡

(2) 구십오 ➡

(3) 팔십팔 ➡

(4) 육십구 ➡

(5) 칠십삼 ➡

10 빈 곳에 알맞은 수를 써넣으세요.

(1) 예순셋 ➡ ◯

(2) 여든다섯 ➡ ◯

(3) 일흔여덟 ➡ ◯

(4) 쉰둘 ➡ ◯

(5) 아흔일곱 ➡ ◯

11 순서를 생각하며 빈 곳에 알맞은 수를 써넣으세요.

(1) (68)(69)(   )(71)(   )

(2) (86)(   )(88)(   )(   )

12 빈칸에 알맞은 수를 써넣으세요.

앞의 수		뒤의 수
(1) 56		58
(2) 79		81

13 규칙을 찾아 빈칸에 알맞은 수를 써넣으세요.

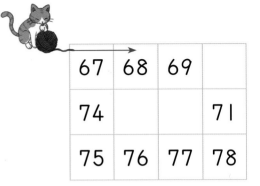

67	68	69	
74			71
75	76	77	78

14 수를 순서대로 선으로 이어 보세요.

시작
73   74   79
75   80   78
81   76   77

15 주어진 표에서 빠진 수를 찾아 써 보세요.

68부터 84까지의 수

73	83	78	71
79	68	84	75
69	72	77	81
80	74	82	70

빠진 수:

16 ⬤ 안에 >, <를 알맞게 써넣고, 알맞은 말에 ○표 하세요.

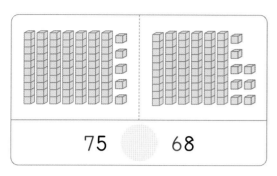

75 ⬤ 68

➡ 75는 68보다
(큽니다 , 작습니다).

17 같은 종류의 동전끼리 수를 비교하여 ⬤ 안에 >, <를 알맞게 써넣으세요.

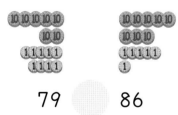

79 ⬤ 86

18 같은 종류의 동전끼리 수를 비교하여 ⬤ 안에 >, <를 알맞게 써넣으세요.

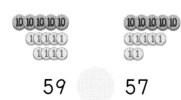

59 ⬤ 57

19 크기를 비교하여 ⬤ 안에 >, <를 알맞게 써넣으세요.

(1) 59 ⬤ 62

(2) 92 ⬤ 91

(3) 65 ⬤ 78

(4) 55 ⬤ 59

(5) 82 ⬤ 79

20 알맞은 말에 ○표 하세요.

(1) 6<u>1</u> ➡ (짝수 , 홀수)

(2) 7<u>6</u> ➡ (짝수 , 홀수)

(3) 8<u>0</u> ➡ 짝수 , 홀수)

(4) 9<u>9</u> ➡ (짝수 , 홀수)

(5) 2<u>8</u> ➡ (짝수 , 홀수)

1 수 모형을 보고 ▢ 안에 알맞은 수를 써넣으세요.

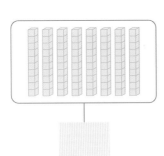

2 수를 두 가지 방법으로 읽어 보세요.

70

▢ , ▢

3 정국이는 색종이를 90장 사려고 합니다. 10장씩 묶음으로만 판매한다면, 색종이는 몇 묶음을 사야 할까요?

( )묶음

4 관계있는 것끼리 이어 보세요.

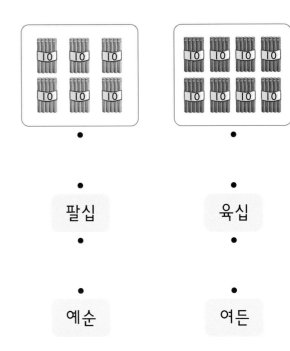

팔십   육십

예순   여든

5 빈 곳에 알맞은 수를 써넣으세요.

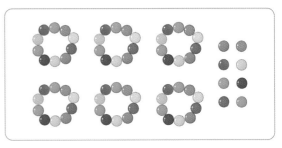

10개씩 묶음	낱개

➡ ▢

6 수로 써 보세요.

(1) 예순다섯 ⮕ [   ]

(2) 팔십칠 ⮕ [   ]

7 다음 중 수를 <u>잘못</u> 읽은 것은 어느 것일까요? (   )

① 54 – 오십사, 쉰넷

② 79 – 칠십구, 일흔아홉

③ 61 – 육십일, 예순하나

④ 83 – 팔십셋, 여든삼

⑤ 97 – 구십칠, 아흔일곱

8 박하사탕이 10개씩 7묶음과 낱개로 3개 있습니다. 박하사탕은 모두 몇 개일까요?

(   )개

9 빈 곳에 알맞은 수를 써넣으세요.

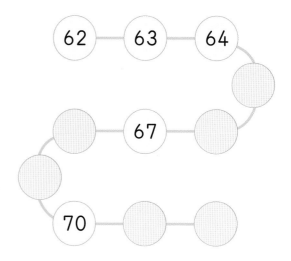

10 빈 곳에 알맞은 수를 써넣으세요.

(1) | 작은 수 [   ] — 78 — [   ] | 큰 수

(2) | 작은 수 [   ] — 94 — [   ] | 큰 수

11 ★에 알맞은 수를 구하세요.

★보다 1 큰 수는 90입니다.

(   )

12 ㉠에 알맞은 수를 쓰고 읽어 보세요.

쓰기 (   )

읽기 (   )

13 크기를 비교하여 ◯ 안에 >, <를 알맞게 써넣으세요.

(1) 85 ◯ 79

(2) 육십사 ◯ 예순일곱

14 가장 큰 수에 ◯표, 가장 작은 수에 △표 하세요.

84   95   87

15 가장 큰 수를 찾아 기호를 쓰세요.

㉠ 87   ㉡ 79
㉢ 62   ㉣ 91

(   )

16 색종이를 민수는 75장 가지고 있고, 지혜는 72장 가지고 있습니다. 색종이를 더 많이 가지고 있는 사람은 누구일까요?

(   )

17 ▨ 안에 알맞은 수를 쓰고, 짝수인지 홀수인지 ◯표 하세요.

▨ 개, (짝수 , 홀수)

18 ▨ 안에 알맞은 수를 써넣으세요.

68	57	46
29	41	30

짝수: ▨ , ▨ , ▨

홀수: ▨ , ▨ , ▨

19 수 배열표에서 ㉠에 알맞은 수는 짝수인지 홀수인지 쓰세요.

15	16	17		
21	22		25	
27		29	㉠	

(   )

20 다음에서 설명하는 수는 모두 몇 개일까요?

- 짝수입니다.
- 4보다 큰 수입니다.
- 15보다 작은 수입니다.

(   )개

memo

논리적 사고력과 창의적 문제해결력을 키워 주는
매스티안 교재 활용법!

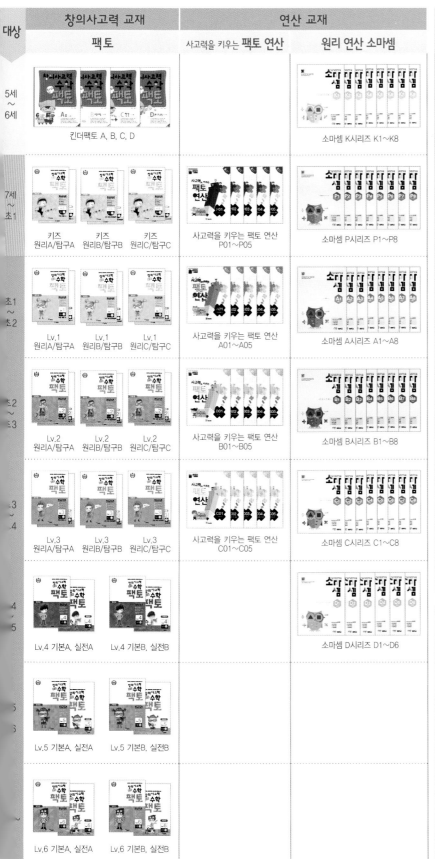

대상	창의사고력 교재			연산 교재	
	팩토			사고력을 키우는 **팩토 연산**	원리 연산 **소마셈**
5세 ~ 6세	킨더팩토 A, B, C, D				소마셈 K시리즈 K1~K8
7세 ~ 초1	키즈 원리A/탐구A	키즈 원리B/탐구B	키즈 원리C/탐구C	사고력을 키우는 팩토 연산 P01~P05	소마셈 P시리즈 P1~P8
초1 ~ 초2	Lv.1 원리A/탐구A	Lv.1 원리B/탐구B	Lv.1 원리C/탐구C	사고력을 키우는 팩토 연산 A01~A05	소마셈 A시리즈 A1~A8
초2 ~ 초3	Lv.2 원리A/탐구A	Lv.2 원리B/탐구B	Lv.2 원리C/탐구C	사고력을 키우는 팩토 연산 B01~B05	소마셈 B시리즈 B1~B8
초3 ~ 초4	Lv.3 원리A/탐구A	Lv.3 원리B/탐구B	Lv.3 원리C/탐구C	사고력을 키우는 팩토 연산 C01~C05	소마셈 C시리즈 C1~C8
초4 ~ 초5	Lv.4 기본A, 실전A	Lv.4 기본B, 실전B			소마셈 D시리즈 D1~D6
	Lv.5 기본A, 실전A	Lv.5 기본B, 실전B			
	Lv.6 기본A, 실전A	Lv.6 기본B, 실전B			

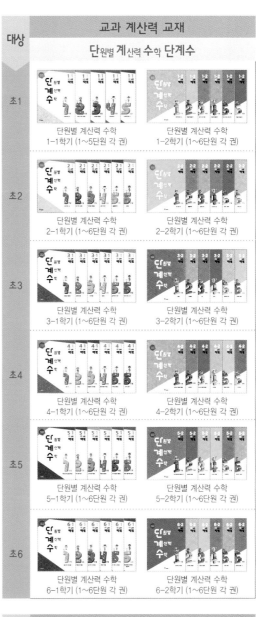

대상	교과 계산력 교재	
	단원별 계산력 수학 단계수	
초1	단원별 계산력 수학 1-1학기 (1~5단원 각 권)	단원별 계산력 수학 1-2학기 (1~6단원 각 권)
초2	단원별 계산력 수학 2-1학기 (1~6단원 각 권)	단원별 계산력 수학 2-2학기 (1~6단원 각 권)
초3	단원별 계산력 수학 3-1학기 (1~6단원 각 권)	단원별 계산력 수학 3-2학기 (1~6단원 각 권)
초4	단원별 계산력 수학 4-1학기 (1~6단원 각 권)	단원별 계산력 수학 4-2학기 (1~6단원 각 권)
초5	단원별 계산력 수학 5-1학기 (1~6단원 각 권)	단원별 계산력 수학 5-2학기 (1~6단원 각 권)
초6	단원별 계산력 수학 6-1학기 (1~6단원 각 권)	단원별 계산력 수학 6-2학기 (1~6단원 각 권)

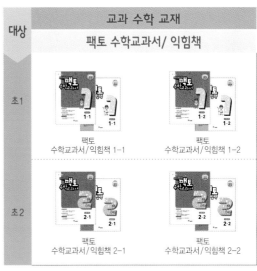

대상	교과 수학 교재	
	팩토 수학교과서/ 익힘책	
초1	팩토 수학교과서/익힘책 1-1	팩토 수학교과서/익힘책 1-2
초2	팩토 수학교과서/익힘책 2-1	팩토 수학교과서/익힘책 2-2

단계수 학습 순서

매일 학습

단원별로 꼭 알아야 할 개념만 쏙쏙 학습하고, 다양한 연산 문제를 통해 필수 개념을 숙달하여 계산력을 쑥쑥 키울 수 있습니다.

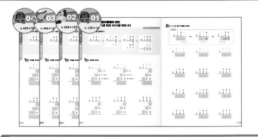

도전! 응용문제

필수 개념을 활용한 **응용** 문제 또는 **서술형** 문제를 통해 사고력과 문제해결력을 기를 수 있습니다.

형성 평가

단원의 **복습 단계**로 문제를 풀면서 학습한 내용을 잘 알고 있는지 다시 한 번 확인할 수 있습니다.

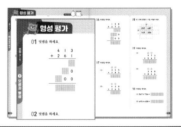

단원 평가

단원의 **마무리 학습**으로 학교 시험에 자주 나오는 문제 유형을 통해서 수시 평가 등 학교 시험에 대비할 수 있습니다.

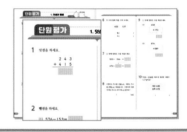

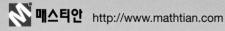
매스티안 http://www.mathtian.com

자율안전확인신고필증번호: B361H200-4001
1. 주소 : 06153 서울특별시 강남구 봉은사로 442 (삼성동)
2. 문의전화 : 1588-6066
3. 제조국 : 대한민국
4. 사용연령 : 8세 이상
※ KC마크는 이 제품이 공통안전기준에 적합하였음을 의미합니다.

⚠ 주의
종이, 모서리에 다칠 수 있으니 주의하세요!

초등학교 　　　 반　　　반

이름

1-2

초등 수학
팩토

단원별
계산력
수학

2 단원

덧셈과 뺄셈(1)

매스티안

팩토는 자유롭게 자신감있게 창의적으로 생각하는 주니어수학자입니다.

단원별 산력수학

펴낸 곳 (주)타임교육C&P **펴낸이** 이길호 **지은이** 매스티안R&D센터
주소 06153 서울특별시 강남구 봉은사로 442 (삼성동) **문의전화** 1588.6066
팩토카페 http://cafe.naver.com/factos **홈페이지** http://www.mathtian.com

※ 이 책의 모든 내용과 삽화에 대한 저작권은 (주)타임교육C&P에 있으므로 무단 복제와 전송을 금합니다.

※ 정답과 풀이는 온라인 팩토카페(http://cafe.naver.com/factos)를 통해서도 확인할 수 있습니다.

생각이 자유로운 사람들! 매스티안R&D센터
매스티안R&D센터의 논리적 사고력과 창의적 문제해결력을 키우는 수학 콘텐츠는 국내외 수많은 교육 현장에서 그 우수성을 높이 평가받고 있습니다.
매스티안R&D센터는 여기에 안주하지 않고 앞으로도 학생, 교사, 학부모 모두가 행복한 수학 시간을 만들 수 있도록 노력하겠습니다.

매스티안 공식 홈페이지 ⋯ (http://www.mathtian.com)

· 매스티안의 다양한 출간 교재 소개

· 출간 교재와 관련된 학습 자료(보충 학습지, 활동지 등) 제공

· 출간 교재와 관련된 평가 시험 및 분석 제공

매스티안 공식 카페 ⋯ 팩토 (http://cafe.naver.com/factos)

· 창의사고력 수학 팩토 무료 동영상 강의 제공

· 출간 교재에 관한 질문 및 답변

· 영재교육원 대비 자료(기출 문제, 예상 문제) 제공

· 초등 수학 비법 및 Q&A

1-2

초등 수학
팩토

단원별 계산력 수학

2 단원

덧셈과 뺄셈(1)

매스티안

2 덧셈과 뺄셈(1)

Teaching Guide

아이들은 발달 단계상 (몇)＋(몇)＝(십몇)을 계산할 때, 먼저 '전부 세기'로 해결하려 합니다. 그러다 '10'을 이용하는 방법을 생각하게 되고, 더 편한 방법인 더하는 수를 조작하여 '합이 10이 되는 두 수'를 만들어 해결하는 과정을 거치게 됩니다. 이 단원에서는 10의 보수, 즉 (1, 9), (2, 8), (3, 7), (4, 6), (5, 5)와 같이 합이 10이 되는 두 수에 대한 감각을 익혀야 합니다. 또한 10이 되는 두 수를 이용한 세 수의 덧셈 등도 배웁니다.

공부한 날짜

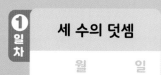
1일차 세 수의 덧셈
월 일

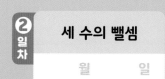
2일차 세 수의 뺄셈
월 일

3일차 10이 되는 더하기
월 일

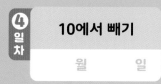
4일차 10에서 빼기
월 일

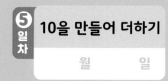
5일차 10을 만들어 더하기
월 일

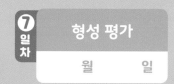
6일차 응용 문제
월 일

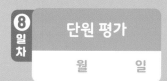
7일차 형성 평가
월 일

8일차 단원 평가
월 일

01 세 수의 덧셈

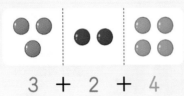 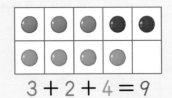

$3 + 2 + 4$

$3 + 2 + 4 = 9$

1 보기 와 같은 방법으로 덧셈을 해 보세요.

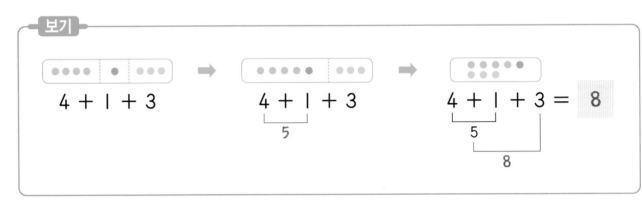

보기

$4 + 1 + 3$　➡　$4 + 1 + 3$　➡　$4 + 1 + 3 = \boxed{8}$

$1 + 5 + 2 = \boxed{}$

6

$3 + 4 + 1 = \boxed{}$

$3 + 5 + 1 = \boxed{}$

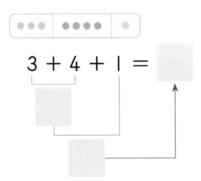 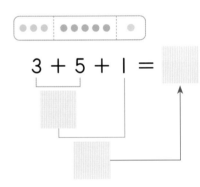

$2 + 4 + 3 = \boxed{}$

$4 + 3 + 2 = \boxed{}$

$5 + 2 + 2 = \boxed{}$

2 보기 와 같은 방법으로 덧셈을 해 보세요.

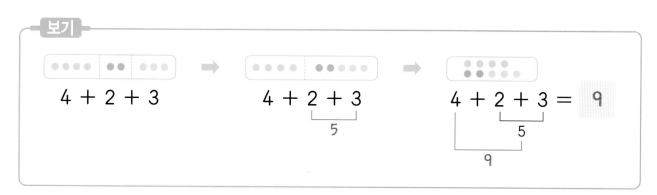

$$4 + 2 + 3$$
$$4 + 2 + 3$$
$$4 + 2 + 3 = 9$$

$$3 + 4 + 2 =$$
6

$$5 + 3 + 1 =$$

$$6 + 1 + 2 =$$

$$2 + 3 + 4 =$$

$$1 + 2 + 6 =$$

$$2 + 5 + 1 =$$

$$4 + 2 + 2 =$$

$$1 + 5 + 3 =$$

$$2 + 6 + 1 =$$

3 보기와 같은 방법으로 덧셈을 해 보세요.

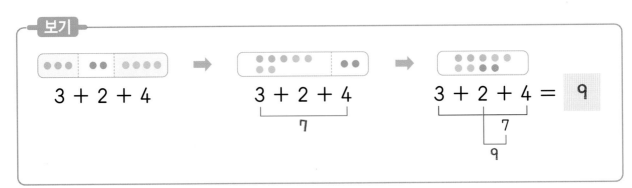

보기

$3 + 2 + 4$
→
$3 + 2 + 4$
7
→
$3 + 2 + 4 =$ 9
7
9

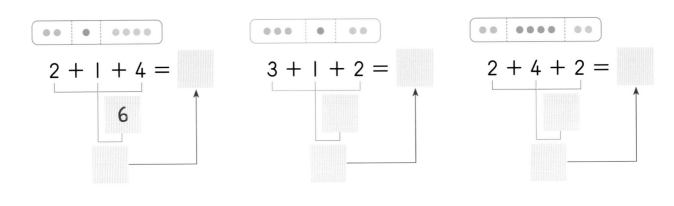

$2 + 1 + 4 =$

6

$3 + 1 + 2 =$

$2 + 4 + 2 =$

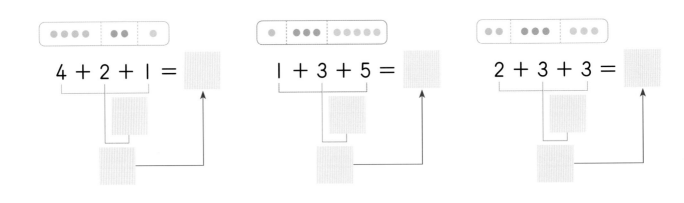

$4 + 2 + 1 =$

$1 + 3 + 5 =$

$2 + 3 + 3 =$

$3 + 1 + 3 =$

$6 + 2 + 1 =$

$3 + 1 + 4 =$

4 세 수의 덧셈을 해 보세요.

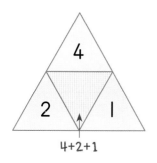

4+2+1

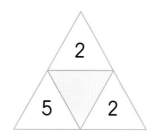

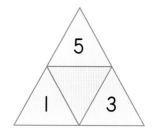

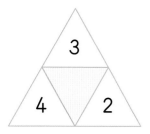

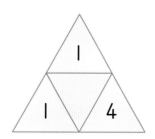

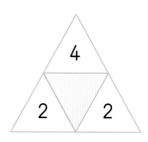

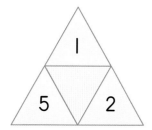

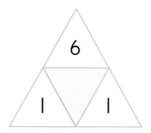

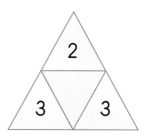

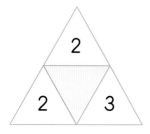

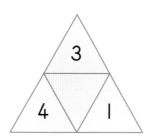

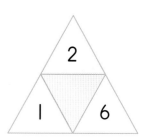

02 세 수의 뺄셈

8 − 4 − 2

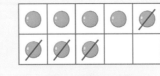
8 − 4 − 2

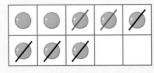
8 − 4 − 2 = 2

 1 ╱로 지우며 뺄셈을 해 보세요.

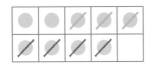
9 − 4 − 3 =

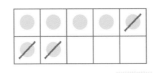
7 − 3 − 2 =

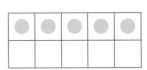
5 − 1 − 3 =

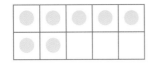
7 − 2 − 4 =

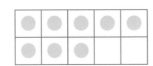
8 − 4 − 1 =

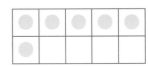
6 − 1 − 2 =

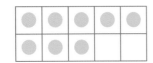
8 − 3 − 1 =

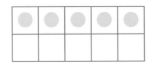
5 − 2 − 2 =

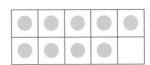
9 − 5 − 3 =

6 − 3 − 1 =

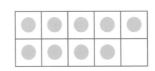
9 − 2 − 6 =

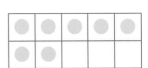
7 − 1 − 5 =

2 안에 알맞은 수를 써넣으세요.

$8 - 4 - 3 =$

4

1

$9 - 3 - 2 =$

6

$7 - 3 - 4 =$

$6 - 1 - 3 =$

$5 - 2 - 2 =$

$4 - 2 - 1 =$

$6 - 2 - 3 =$

$7 - 2 - 3 =$

$9 - 3 - 5 =$

$5 - 1 - 2 =$

$8 - 1 - 5 =$

$7 - 5 - 2 =$

3 세 수의 뺄셈을 해 보세요.

6 - 1 - 2 =

5

3

8 - 2 - 5 =

7 - 4 - 2 =

7 - 2 - 4 =

5 - 3 - 1 =

6 - 3 - 2 =

9 - 5 - 3 =

4 - 1 - 2 =

5 - 1 - 2 =

8 - 1 - 5 =

7 - 3 - 1 =

9 - 2 - 3 =

6 - 2 - 3 =

9 - 3 - 4 =

7 - 5 - 1 =

8 - 3 - 1 =

6 - 4 - 1 =

4 - 2 - 1 =

9 - 4 - 2 =

8 - 2 - 4 =

9 - 6 - 1 =

4 덧셈과 뺄셈을 해 보세요.

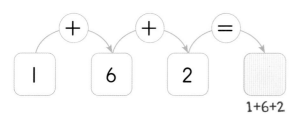

1+6+2

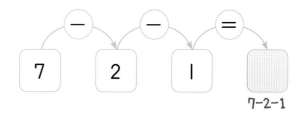

7-2-1

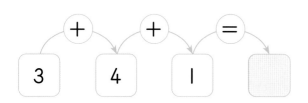

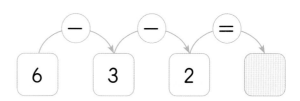

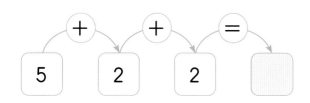

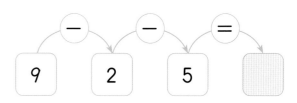

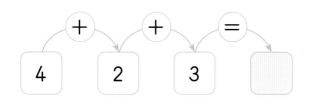

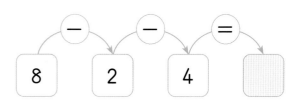

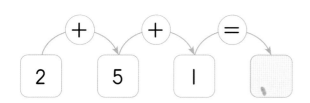

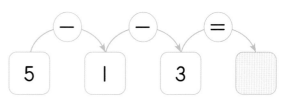

03 10이 되는 더하기

정답 11쪽

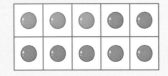 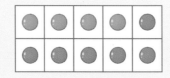 

$3 + 7 = 10$ $4 + 6 = 10$ $5 + 5 = 10$

 1 더해서 10이 되는 두 수를 이용하여 덧셈식을 완성해 보세요.

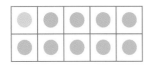

$1 + \boxed{} = 10$

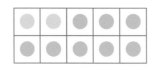

$2 + \boxed{} = 10$

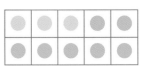

$3 + \boxed{} = 10$

$4 + \boxed{} = 10$

$5 + \boxed{} = 10$

$6 + \boxed{} = 10$

$7 + \boxed{} = 10$

$8 + \boxed{} = 10$

$9 + \boxed{} = 10$

$5 + \boxed{} = 10$

$3 + \boxed{} = 10$

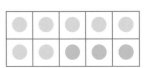

$7 + \boxed{} = 10$

2 10이 되도록 ◯를 그리고 덧셈식을 완성해 보세요.

7 + ▨ = 10

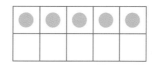

5 + ▨ = 10

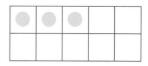

3 + ▨ = 10

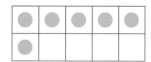

6 + ▨ = 10

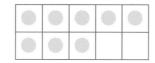

8 + ▨ = 10

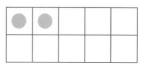

2 + ▨ = 10

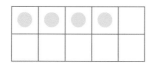

4 + ▨ = 10

9 + ▨ = 10

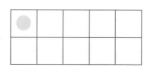

1 + ▨ = 10

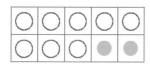

▨ + 2 = 10

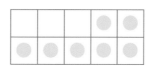

▨ + 7 = 10

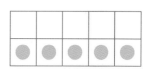

▨ + 5 = 10

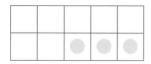

▨ + 3 = 10

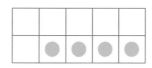

▨ + 4 = 10

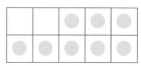

▨ + 8 = 10

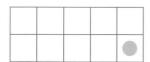

▨ + 1 = 10

▨ + 6 = 10

▨ + 9 = 10

1 + ⬜ = 10   ⬜ + 7 = 10   5 + ⬜ = 10

3 + ⬜ = 10   ⬜ + 9 = 10   ⬜ + 3 = 10

9 + ⬜ = 10   ⬜ + 2 = 10   4 + ⬜ = 10

⬜ + 4 = 10   7 + ⬜ = 10   ⬜ + 8 = 10

⬜ + 5 = 10   6 + ⬜ = 10   ⬜ + 1 = 10

⬜ + 6 = 10   ⬜ + 3 = 10   2 + ⬜ = 10

10 + ⬜ = 10   8 + ⬜ = 10   0 + ⬜ = 10

4 합이 10이 되는 곳을 따라 선을 그어 보세요.

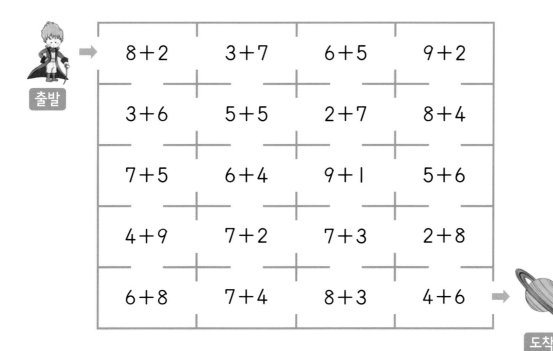

출발 →

8+2	3+7	6+5	9+2
3+6	5+5	2+7	8+4
7+5	6+4	9+1	5+6
4+9	7+2	7+3	2+8
6+8	7+4	8+3	4+6

→ 도착

출발 →

4+6	3+5	9+4	5+7
2+8	6+6	7+2	8+3
7+3	5+5	3+7	9+2
1+6	2+7	8+2	4+8
5+6	7+4	6+4	9+1

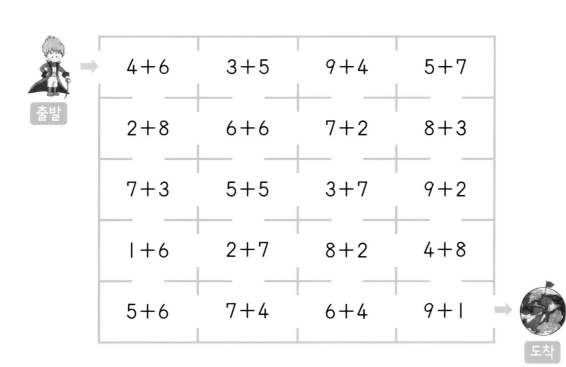

→ 도착

04 10에서 빼기

초등 1-2

② 덧셈과 뺄셈 (1)

$10 - 1 = 9$

$10 - 3 = 7$

$10 - 5 = 5$

 ❶ 10에서 빼기를 하여 뺄셈식을 완성해 보세요.

$10 - 1 = $

$10 - 2 = $

$10 - 3 = $

$10 - 4 = $

$10 - 5 = $

$10 - 6 = $

$10 - 7 = $

$10 - 8 = $

$10 - 9 = $

$10 - 3 = $

$10 - 6 = $

$10 - 2 = $

$10 - 2 =$

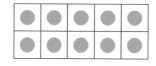

$10 - 7 =$

$10 - 6 =$

$10 - 1 =$

$10 - 3 =$

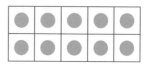

$10 - 8 =$

$10 - 6 =$

$10 - 9 =$

$10 - 5 =$

$10 - 7 =$

$10 - 2 =$

$10 - 4 =$

$10 - 5 =$

$10 - 8 =$

$10 - 3 =$

$10 - 4 =$

$10 - 1 =$

$10 - 9 =$

3 식을 보고 ╱로 지우며 뺄셈식을 완성해 보세요.

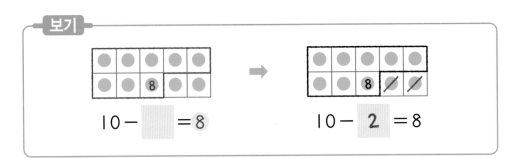

보기

10 − ☐ = 8 → 10 − **2** = 8

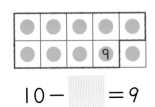

10 − ☐ = 9

10 − ☐ = 4

10 − ☐ = 1

10 − ☐ = 6

10 − ☐ = 5

10 − ☐ = 3

10 − ☐ = 8

10 − ☐ = 2

10 − ☐ = 9

10 − ☐ = 7

10 − ☐ = 6

10 − ☐ = 4

$10 - 2 =$ ☐ $10 - 6 =$ ☐ $10 - 4 =$ ☐

$10 - 3 =$ ☐ $10 - 7 =$ ☐ $10 - 5 =$ ☐

$10 - 9 =$ ☐ $10 - 8 =$ ☐ $10 - 1 =$ ☐

$10 -$ ☐ $= 5$ $10 -$ ☐ $= 3$ $10 -$ ☐ $= 6$

$10 -$ ☐ $= 2$ $10 -$ ☐ $= 7$ $10 -$ ☐ $= 1$

$10 -$ ☐ $= 8$ $10 -$ ☐ $= 4$ $10 -$ ☐ $= 9$

$10 -$ ☐ $= 3$ $10 -$ ☐ $= 2$ $10 -$ ☐ $= 5$

05 10을 만들어 더하기

정답 13쪽

| 10이 되는 두 수 더하기 | 10+(몇)=(십몇) |

$$6 + 4 + 5$$
    ⌊__10__⌋

$$10 + 5 = 15$$

1 10을 만들어 세 수의 덧셈을 해 보세요.

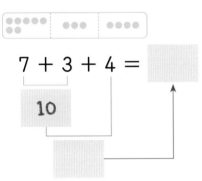

$$7 + 3 + 4 =$$

10

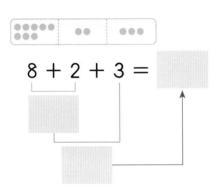

$$8 + 2 + 3 =$$

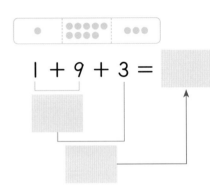

$$1 + 9 + 3 =$$

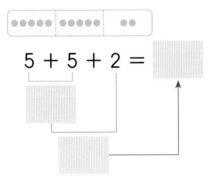

$$5 + 5 + 2 =$$

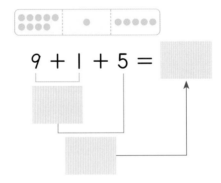

$$9 + 1 + 5 =$$

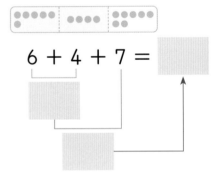

$$6 + 4 + 7 =$$

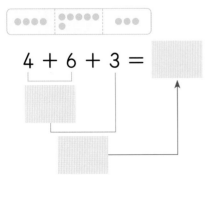

$$4 + 6 + 3 =$$

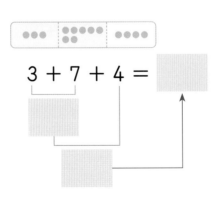

$$3 + 7 + 4 =$$

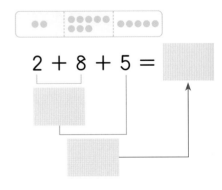

$$2 + 8 + 5 =$$

② 10을 만들어 세 수의 덧셈을 해 보세요.

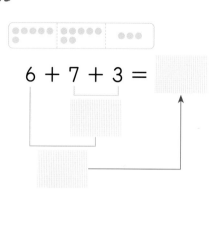

$6 + 7 + 3 =$

$3 + 9 + 1 =$

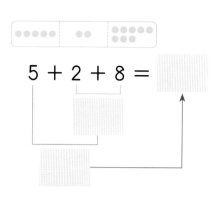

$5 + 2 + 8 =$

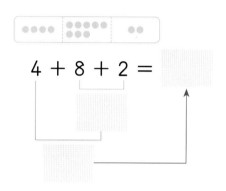

$4 + 8 + 2 =$

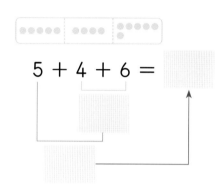

$5 + 4 + 6 =$

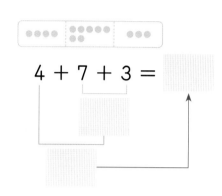

$4 + 7 + 3 =$

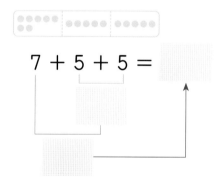

$7 + 5 + 5 =$

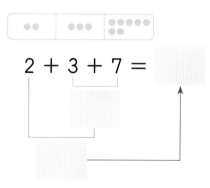

$2 + 3 + 7 =$

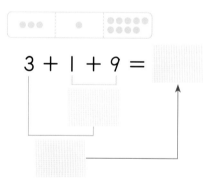

$3 + 1 + 9 =$

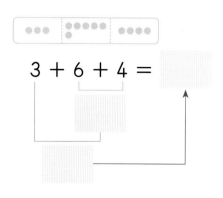

$3 + 6 + 4 =$

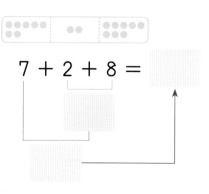

$7 + 2 + 8 =$

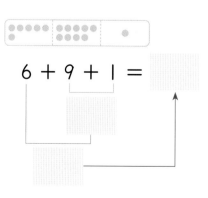

$6 + 9 + 1 =$

3 합이 10이 되는 두 수에 ◯를 하여 세 수의 덧셈을 해 보세요.

③+⑦+ 5 = 　　　　　　　④+ 8 +⑥= 　　　　　　　7 +⑤+⑤=
　10　　　　　　　　　　　　　10　　　　　　　　　　　　　10

2 +⑥+④= 　　　　　　　8 + 2 + 7 = 　　　　　　　1 + 8 + 9 =
　　10

5 + 7 + 3 = 　　　　　　　5 + 4 + 5 = 　　　　　　　4 + 6 + 3 =

7 + 4 + 6 = 　　　　　　　1 + 9 + 6 = 　　　　　　　6 + 5 + 4 =

2 + 9 + 8 = 　　　　　　　7 + 3 + 8 = 　　　　　　　8 + 3 + 7 =

3 + 1 + 7 = 　　　　　　　3 + 6 + 4 = 　　　　　　　9 + 1 + 3 =

6 + 8 + 2 = 　　　　　　　9 + 7 + 1 = 　　　　　　　5 + 5 + 6 =

4 3장의 수 카드에 적힌 수들의 합을 구해 보세요.

| 7 | 3 | 6 |

➡

| 5 | 6 | 4 |

➡

| 2 | 7 | 8 |

➡

| 1 | 9 | 8 |

➡

| 4 | 6 | 9 |

➡

| 8 | 2 | 5 |

➡

| 2 | 3 | 7 |

➡

| 9 | 4 | 1 |

➡

| 5 | 3 | 5 |

➡

| 8 | 4 | 6 |

➡

정답 14쪽

유형 1

꽃병에 장미 ③송이, 국화 ④송이, 백합 ②송이가 꽂혀 있습니다. 꽃병에 꽂혀 있는 꽃은 모두 몇 송이일까요?

주어진 수에 ○표 하고, 구하는 것에 밑줄 치기

장미 수: 3 송이, 국화 수: ⬛ 송이, 백합 수: ⬛ 송이

▶ **문제 해결하기**

장미 수와 국화 수를 (더한 , 뺀) 수에 백합 수를 (더합니다 , 뺍니다).

▶ **문제 풀기**

(꽃병에 꽂혀 있는 꽃 수)=(장미 수)+(국화 수)+(백합 수)

= ⬛ + ⬛ + ⬛ = ⬛ (송이)

▶ **답 쓰기** 꽃병에 꽂혀 있는 꽃은 모두 ⬛ 송이입니다.

유형+ 1

은지는 파란 공 8개와 빨간 공 2개, 노란 공 7개를 가지고 있습니다. 은지가 가지고 있는 공은 모두 몇 개일까요?

▶ **주어진 수에 ○표 하고, 구하는 것에 밑줄 치기**

파란 공 수: ⬛ 개, 빨간 공 수: ⬛ 개, 노란 공 수: ⬛ 개

▶ **문제 해결하기**

10이 되는 두 수 (8 , 2 , 7)을(를) 먼저 더하여 계산합니다.

▶ **문제 풀기**

(은지가 가진 공 수)=(파란 공 수)+(빨간 공 수)+(노란 공 수)

= ⬛ + ⬛ + ⬛ = 10+ ⬛ = ⬛ (개)

10

▶ **답 쓰기** 은지가 가지고 있는 공은 모두 ⬛ 개입니다.

귤 ⑨개 중에서 민지는 ④개를, 수아는 ②개를 먹었습니다. <u>남은 귤은 몇 개일까요?</u>

■▶ **주어진 수에 ○표 하고, 구하는 것에 밑줄 치기**

전체 귤 수: 개, 민지가 먹은 귤 수: 개, 수아가 먹은 귤 수: 개

■▶ **문제 해결하기**

전체 귤 수에서 민지가 먹은 귤 수를 (더한 , 뺀)수에서
수아가 먹은 귤 수를 (더합니다 , 뺍니다).

■▶ **문제 풀기**

(남은 귤 수)=(전체 귤 수)-(민지가 먹은 귤 수)-(수아가 먹은 귤 수)

$$= \boxed{} - \boxed{} - \boxed{} = \boxed{} \text{(개)}$$

■▶ **답 쓰기**   남은 귤은   개입니다.

슬기네 모둠은 학생이 모두 10명입니다. 그중에서 여학생이 4명이라면 남학생은 몇 명
일까요?

■▶ **주어진 수에 ○표 하고, 구하는 것에 밑줄 치기**

모둠 학생 수: 명, 여학생 수: 명

■▶ **문제 해결하기**

모둠 학생 수에서 여학생 수를 (더합니다 , 뺍니다).

■▶ **문제 풀기**

(남학생 수)=(모둠 학생 수)-(여학생 수)

$$= \boxed{} - \boxed{} = \boxed{} \text{(명)}$$

■▶ **답 쓰기**   슬기네 모둠 남학생은   명입니다.

● ▨ 안에 알맞은 수를 써넣고, 답을 구하세요.

1 Drill

사탕을 호야는 1개, 수아는 6개, 지나는 2개 먹었습니다. 세 사람이 먹은 사탕은 모두 몇 개일까요?

주어진 수에 ○표 하고, 구하는 것에 밑줄 쫙!

풀이 (세 사람이 먹은 사탕 수)＝(호야가 먹은 수)＋(수아가 먹은 수)＋(지나가 먹은 수)

$$= \boxed{} + \boxed{} + \boxed{} = \boxed{} \text{(개)}$$

답   개

2 Drill

희수는 가게에서 사이다 3병, 콜라 4병, 주스 6병을 샀습니다. 희수가 산 음료수는 모두 몇 병일까요?

풀이 (희수가 산 음료수 수)＝(사이다 수)＋(콜라 수)＋(주스 수)

$$= \boxed{} + \boxed{} + \boxed{} = \boxed{} \text{(병)}$$

답   병

3 Drill

버스에 8명이 타고 있었습니다. 첫 번째 정류장에서 4명이 내리고, 두 번째 정류장에서 3명이 내렸습니다. 지금 버스에 남아 있는 사람은 몇 명일까요?

풀이 (버스에 남아 있는 사람 수)＝(처음에 있던 사람 수)－(첫 번째 정류장에서 내린 사람 수)

－(두 번째 정류장에서 내린 사람 수)

$$= \boxed{} - \boxed{} - \boxed{} = \boxed{} \text{(명)}$$

답   명

4 Drill

초콜릿이 10개 있었습니다. 그중에서 3개를 먹었다면 남은 초콜릿은 몇 개일까요?

풀이 (남은 초콜릿 수)＝(처음에 있던 초콜릿 수)－(먹은 초콜릿 수)

$$= \boxed{} - \boxed{} = \boxed{} \text{(개)}$$

답   개

● 서술형 문제를 읽고 풀이 과정과 답을 쓰세요.

도전 ①

유나네 농장에는 소 5마리, 돼지 2마리, 염소 2마리가 있습니다. 유나네 농장에 있는 동물은 모두 몇 마리일까요?

풀이

답 _____

도전 ②

동하는 한 달 동안 동화책 7권, 위인전 5권, 만화책 3권을 읽었습니다. 동하가 한 달 동안 읽은 책은 모두 몇 권일까요?

풀이

답 _____

도전 ③

사과 9개 중에서 윤기는 2개, 윤아는 5개를 먹었습니다. 남은 사과는 몇 개일까요?

풀이

답 _____

도전 ④

공원에 비둘기가 10마리 있었는데 잠시 후 6마리가 날아갔습니다. 남은 비둘기는 몇 마리일까요?

풀이

답 _____

형성 평가

정답 15쪽

분 점수 점

[01~03] 그림을 보고 알맞게 덧셈을 해 보세요.

01

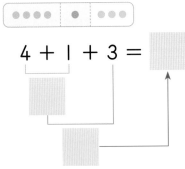

$$4 + 1 + 3 = \boxed{}$$

02

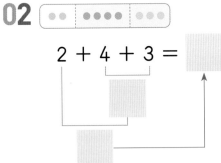

$$2 + 4 + 3 = \boxed{}$$

03

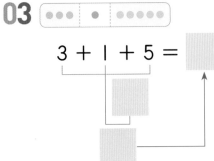

$$3 + 1 + 5 = \boxed{}$$

04 세 수의 덧셈을 해 보세요.

(1)

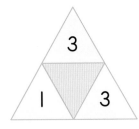

(2)

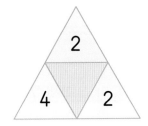

05 ╱로 지우며 뺄셈을 해 보세요.

(1)

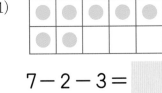

$$7 - 2 - 3 = \boxed{}$$

(2)

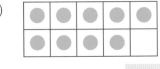

$$9 - 3 - 4 = \boxed{}$$

06 안에 알맞은 수를 써넣으세요.

(1) $9 - 4 - 2 = $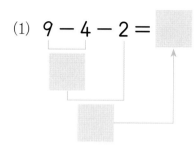

(2) $8 - 2 - 3 = $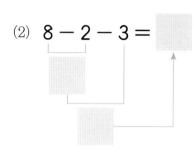

07 세 수의 뺄셈을 해 보세요.

$$7 - 1 - 4 = $$

08 덧셈과 뺄셈을 해 보세요.

(1)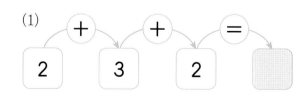

(2)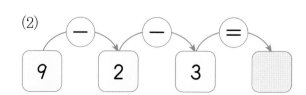

09 더해서 10이 되는 두 수를 이용하여 덧셈식을 완성해 보세요.

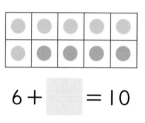

$6 + $ ⬜ $= 10$

10 10이 되도록 ◯를 그리고 덧셈식을 완성해 보세요.

(1)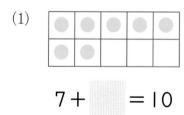

$7 + $ ⬜ $= 10$

(2)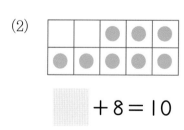

⬜ $+ 8 = 10$

11  안에 알맞은 수를 써넣으세요.

(1) $5 + \boxed{} = 10$

(2) $\boxed{} + 9 = 10$

12 덧셈한 결과가 다른 것에 ◯표 하세요.

| 2+8 | 7+3 | 4+6 |

| 5+6 | 9+1 |

13 10에서 빼기를 하여 뺄셈식을 완성해 보세요.

(1)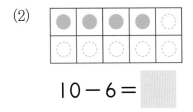

$10 - 4 = \boxed{}$

(2)

$10 - 6 = \boxed{}$

14 / 로 지우며 뺄셈식을 완성해 보세요.

(1)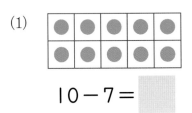

$10 - 7 = \boxed{}$

(2)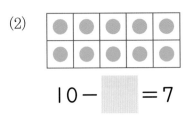

$10 - \boxed{} = 7$

15 뺄셈한 결과가 가장 큰 것의 기호를 쓰세요.

㉠ 10−6   ㉡ 10−8

㉢ 10−2   ㉣ 10−4

(　　　　)

16 　안에 알맞은 수를 써넣으세요.

(1) $10 - 5 = \boxed{}$

(2) $10 - \boxed{} = 1$

17 10을 만들어 세 수의 덧셈을 해 보세요.

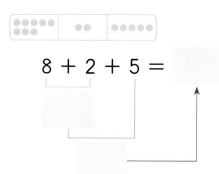

$8 + 2 + 5 = \boxed{}$

18 10을 만들어 세 수의 덧셈을 해 보세요.

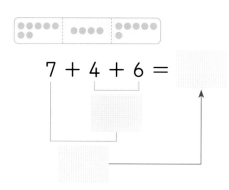

$7 + 4 + 6 = \boxed{}$

19 합이 10이 되는 두 수에 ◯를 하여 세 수의 덧셈을 해 보세요.

(1) $3 + 7 + 4 = \boxed{}$

(2) $2 + 5 + 5 = \boxed{}$

(3) $9 + 4 + 1 = \boxed{}$

(4) $7 + 2 + 8 = \boxed{}$

(5) $6 + 4 + 9 = \boxed{}$

20 3장의 수 카드에 적힌 수들의 합을 구해 보세요.

(1)

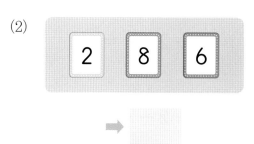

➡ $\boxed{}$

(2)

| 2 | 8 | 6 |

➡ $\boxed{}$

1 그림을 보고 알맞은 덧셈식을 쓰세요.

$2 +$ ⬜ $+$ ⬜ $=$ ⬜

2 그림을 보고 ⬜ 안에 알맞은 수를 써넣으세요.

$9 -$ ⬜ $-$ ⬜ $=$ ⬜

3 계산을 하세요.

(1) $5 + 2 + 1 =$ ⬜

(2) $8 - 2 - 4 =$ ⬜

4 10이 되도록 빈 곳에 ◯를 그리고 ⬜ 안에 알맞은 수를 써넣으세요.

⬜ $+ 7 = 10$

5 그림을 보고 ⬜ 안에 알맞은 수를 써넣으세요.

(1)
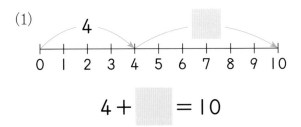

$4 +$ ⬜ $= 10$

(2)
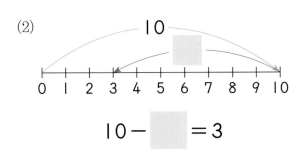

$10 -$ ⬜ $= 3$

6 안에 알맞은 수를 써넣으세요.

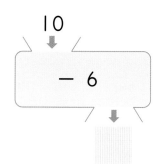

7 빈 곳에 알맞은 수를 써넣으세요.

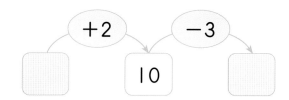

8 합이 10이 되는 두 수를 ◯로 묶고, 세 수의 합을 구하세요.

(1)

7　4

3

(　　　　　)

(2)

9　6

4

(　　　　　)

9 밑줄 친 두 수의 합이 10이 되도록 안에 수를 써넣고 식을 완성하세요.

(1) 1 + ⬡ + 3 =

(2) 7 + 5 + ⬤ =

10 안에 알맞은 수를 써넣으세요.

(1) + 2 = 10

(2) 10 − = 1

11 ㉠과 ㉡의 합을 구하세요.

> - $10-㉠=7$
> - $㉡+4=10$

(   )

12 ☐ 안에 들어갈 수가 같은 것을 찾아 기호를 쓰세요.

> ㉠ $3+☐=10$ ㉡ $☐+4=10$
> ㉢ $10-☐=5$ ㉣ $10-☐=3$

(   )

13 세 수의 합이 18이 되도록 빈 곳에 알맞은 수를 써넣으세요.

14 1반이 다른 반과 야구 경기를 한 결과입니다. 1반이 득점한 점수의 합을 구하세요.

1반	2반
3	4

1반	3반
2	1

1반	4반
4	2

(   )점

15 계산 결과가 홀수인 것을 찾아 기호를 쓰세요.

> ㉠ $3+2+3$ ㉡ $4+1+3$
> ㉢ $7-1-3$ ㉣ $9-4-3$

(   )

16 주사위 3개를 던져서 나온 눈입니다. 나온 눈의 수의 합을 구하세요.

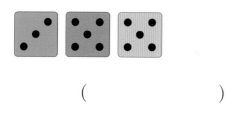

(   )

17 동석이는 빨간색 구슬 7개, 파란색 구슬 3개, 초록색 구슬 5개를 가지고 있습니다. 동석이가 가지고 있는 구슬은 모두 몇 개인지 풀이 과정을 쓰고 답을 구하세요.

[풀이]

_____

_____

[답]

18 재호는 7살이고 누나는 재호보다 3살 많습니다. 동생이 누나보다 5살 적다면 동생은 몇 살입니까?

(   )살

19 계산 결과가 같은 것끼리 선으로 이어 보세요.

4+7+3 •　　• 6+3+7

4+5+6 •　　• 9+5+1

8+2+6 •　　• 2+8+4

20 수 카드 중에서 2장을 골라 ☐ 안에 넣어 식을 완성하려고 합니다. 어떤 수가 쓰인 카드를 골라야 할까요?

5	7	8
2	4	1

☐ +6+ ☐ =16

(,   )

memo

논리적 사고력과 창의적 문제해결력을 키워 주는
매스티안 교재 활용법!

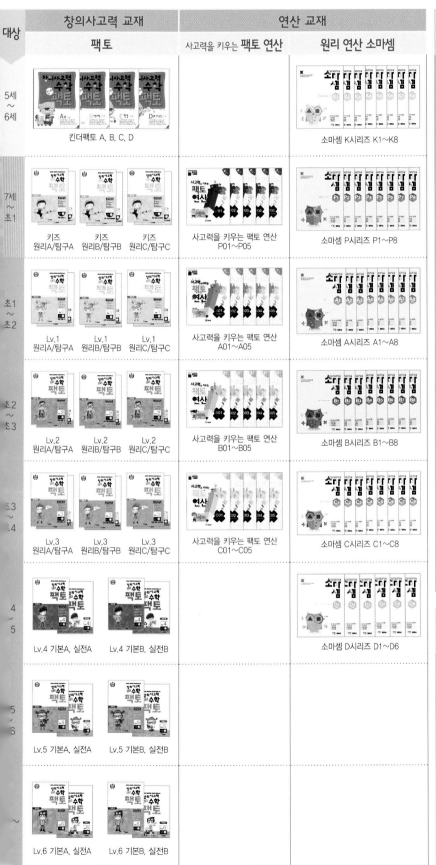

대상	창의사고력 교재	연산 교재		연산 교재
	팩토	사고력을 키우는 팩토 연산	원리 연산 소마셈	

대상	창의사고력 교재 팩토	사고력을 키우는 팩토 연산	원리 연산 소마셈
5세 ~ 6세	킨더팩토 A, B, C, D		소마셈 K시리즈 K1~K8
7세 ~ 초1	키즈 원리A/탐구A · 키즈 원리B/탐구B · 키즈 원리C/탐구C	사고력을 키우는 팩토 연산 P01~P05	소마셈 P시리즈 P1~P8
초1 ~ 초2	Lv.1 원리A/탐구A · Lv.1 원리B/탐구B · Lv.1 원리C/탐구C	사고력을 키우는 팩토 연산 A01~A05	소마셈 A시리즈 A1~A8
초2 ~ 초3	Lv.2 원리A/탐구A · Lv.2 원리B/탐구B · Lv.2 원리C/탐구C	사고력을 키우는 팩토 연산 B01~B05	소마셈 B시리즈 B1~B8
초3 ~ 초4	Lv.3 원리A/탐구A · Lv.3 원리B/탐구B · Lv.3 원리C/탐구C	사고력을 키우는 팩토 연산 C01~C05	소마셈 C시리즈 C1~C8
4 ~ 5	Lv.4 기본A, 실전A · Lv.4 기본B, 실전B		소마셈 D시리즈 D1~D6
5 ~ 6	Lv.5 기본A, 실전A · Lv.5 기본B, 실전B		
~	Lv.6 기본A, 실전A · Lv.6 기본B, 실전B		

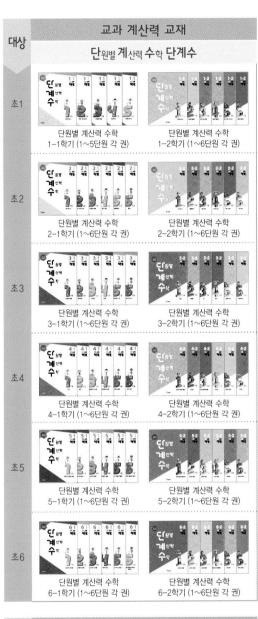

대상	교과 계산력 교재 단원별 계산력 수학 단계수	
초1	단원별 계산력 수학 1-1학기 (1~5단원 각 권)	단원별 계산력 수학 1-2학기 (1~6단원 각 권)
초2	단원별 계산력 수학 2-1학기 (1~6단원 각 권)	단원별 계산력 수학 2-2학기 (1~6단원 각 권)
초3	단원별 계산력 수학 3-1학기 (1~6단원 각 권)	단원별 계산력 수학 3-2학기 (1~6단원 각 권)
초4	단원별 계산력 수학 4-1학기 (1~6단원 각 권)	단원별 계산력 수학 4-2학기 (1~6단원 각 권)
초5	단원별 계산력 수학 5-1학기 (1~6단원 각 권)	단원별 계산력 수학 5-2학기 (1~6단원 각 권)
초6	단원별 계산력 수학 6-1학기 (1~6단원 각 권)	단원별 계산력 수학 6-2학기 (1~6단원 각 권)

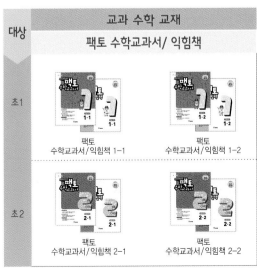

대상	교과 수학 교재 팩토 수학교과서/ 익힘책	
초1	팩토 수학교과서/익힘책 1-1	팩토 수학교과서/익힘책 1-2
초2	팩토 수학교과서/익힘책 2-1	팩토 수학교과서/익힘책 2-2

단계수 학습 순서

매일 학습

단원별로 꼭 알아야 할 개념만 쏙쏙 학습하고, 다양한 연산 문제를 통해 필수 개념을 숙달하여 계산력을 쑥쑥 키울 수 있습니다.

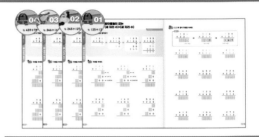

도전! 응용문제

필수 개념을 활용한 **응용** 문제 또는 **서술형** 문제를 통해 사고력과 문제해결력을 기를 수 있습니다.

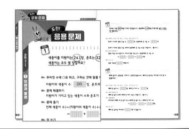

형성 평가

단원의 **복습 단계**로 문제를 풀면서 학습한 내용을 잘 알고 있는지 다시 한 번 확인할 수 있습니다.

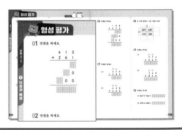

단원 평가

단원의 **마무리 학습**으로 학교 시험에 자주 나오는 문제 유형을 통해서 수시 평가 등 학교 시험에 대비할 수 있습니다.

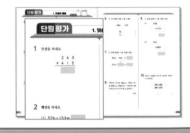

매스티안 http://www.mathtian.com

자율안전확인신고필증번호: B361H200-4001
1. 주소 : 06153 서울특별시 강남구 봉은사로 442 (삼성동)
2. 문의전화 : 1588-6066
3. 제조국 : 대한민국
4. 사용연령 : 8세 이상
※ KC마크는 이 제품이 공통안전기준에 적합하였음을 의미합니다.

⚠ 주의

종이, 모서리에 다칠 수 있으니 주의하세요!

	초등학교	반	반
이름			

1-2
초등 수학
팩토

단원별 계산력 수학

3
단원

모양과 시각

매스티안

팩토는 자유롭게 자신감있게 창의적으로 생각하는 주니어수학자입니다.

단원별 산력수학

펴낸 곳 (주)타임교육C&P **펴낸이** 이길호 **지은이** 매스티안R&D센터
주소 06153 서울특별시 강남구 봉은사로 442 (삼성동) **문의전화** 1588.6066
팩토카페 http://cafe.naver.com/factos **홈페이지** http://www.mathtian.com

※ 이 책의 모든 내용과 삽화에 대한 저작권은 (주)타임교육C&P에 있으므로 무단 복제와 전송을 금합니다.

※ 정답과 풀이는 온라인 팩토카페(http://cafe.naver.com/factos)를 통해서도 확인할 수 있습니다.

MW2405

생각이 자유로운 사람들! 매스티안R&D센터
매스티안R&D센터의 논리적 사고력과 창의적 문제해결력을 키우는 수학 콘텐츠는 국내외 수많은 교육 현장에서 그 우수성을 높이 평가받고 있습니다.
매스티안R&D센터는 여기에 안주하지 않고 앞으로도 학생, 교사, 학부모 모두가 행복한 수학 시간을 만들 수 있도록 노력하겠습니다.

매스티안 공식 홈페이지 ··· (http://www.mathtian.com)

· 매스티안의 다양한 출간 교재 소개

· 출간 교재와 관련된 학습 자료(보충 학습지, 활동지 등) 제공

· 출간 교재와 관련된 평가 시험 및 분석 제공

매스티안 공식 카페 ··· 팩토 (http://cafe.naver.com/factos)

· 창의사고력 수학 팩토 무료 동영상 강의 제공

· 출간 교재에 관한 질문 및 답변

· 영재교육원 대비 자료(기출 문제, 예상 문제) 제공

· 초등 수학 비법 및 Q&A

1-2

초등 수학
팩토

단원별 계산력 수학

3 단원

모양과 시각

매스티안

3. 모양과 시각
- ■, ▲, ● 모양
- '몇 시', '몇 시 30분'

1-2

4. 평면도형의 이동
- 평면도형 밀기, 뒤집기, 돌리기
- 규칙적인 무늬 만들기

4-1

2. 여러 가지 도형
- 원, 삼각형, 사각형
- 쌓기나무로 입체도형 만들기

2-1

2. 평면도형
- 선분, 반직선, 직선
- 각, 직각
- 직각삼각형, 직사각형, 정사각형

3-1

4-2

2. 삼각형
- 이등변삼각형, 정삼각형
- 예각삼각형, 둔각삼각형

4. 시각과 시간
- 시각을 분 단위로 읽기
- 1일 = 24시간, 1주일 = 7일, 1년 = 12개월

2-2

3-2

3. 원
- 원의 중심, 반지름, 지름, 원의 성질

4-1

2. 각도
- 각도 재기, 각도의 합과 차
- 삼각형, 사각형의 내각의 크기의 합

5. 길이와 시간
- 1cm = 10mm, 1km = 1000m
- 길이 어림하고 재어 보기
- 시간의 덧셈과 뺄셈

3-1

---

3 모양과 시각

Teaching Guide

- 이 단원의 목표는 입체도형의 일부분으로서 평면도형을 인식하는 것입니다. 따라서 평면도형에 대한 엄밀한 수학적 개념이 적용되는 단원이 아니기 때문에 ■, ▲, ● 모양에 대한 정확한 개념보다는 직관이 형성될 수 있도록 지도해야 합니다. 또한 ■, ▲, ● 모양을 지칭하기 위한 용어는 사용하지 않습니다. 하지만 원활한 의사소통을 위해 아이와 이야기를 하며 결정하는 과정 중에 아이들이 '네모 모양', '사각형'을 알고 있어 사용한다면 굳이 막을 필요는 없습니다.

- 시계 보기를 배울 때 가장 먼저 시계의 구조를 함께 살펴보면 좋습니다. 1부터 12까지의 숫자가 어느 방향으로 배치되어 있는지, 시곗바늘이 어느 방향으로 움직이는지, 2개의 시곗바늘 길이의 차이가 나는지, 긴바늘이 12에서 출발하여 한 바퀴를 돌아야 짧은바늘이 숫자 한 칸을 움직인다는 것 등을 살펴봅니다.

4. 사각형

· 수직과 수선, 평행과 평행선
· 사각형의 종류

중학 2-2

사각형의 성질

중학 1-2

다각형

4-2

6. 다각형

· 다각형, 정다각형
· 모양 만들기와 채우기

5-1

6. 다각형의 둘레와 넓이

· 평면도형의 둘레
· 1cm², 1m², 1km²
· 삼각형과 사각형의 넓이

5. 원의 넓이

· 원주와 지름의 관계
· 원주율
· 원주와 지름, 원의 넓이

중학 1-2

원과 부채꼴

중학 3-2

원의 성질

공부한 날짜

①일차 여러 가지 모양 찾기
월 일

②일차 여러 가지 모양
월 일

③일차 여러 가지 모양 꾸미기
월 일

④일차 몇 시
월 일

⑤일차 몇 시 30분
월 일

⑥일차 응용 문제
월 일

⑦일차 형성 평가
월 일

⑧일차 단원 평가
월 일

여러 가지 모양 찾기

정답 17쪽

초등 1-2

❸ 모양과 시각

■, ▲, ● 모양 찾기

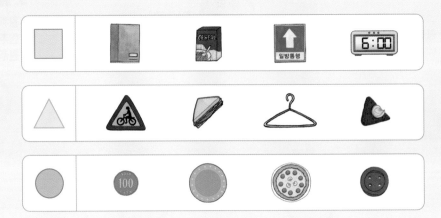

 모아 놓은 모양을 찾아 ◯표 하세요.

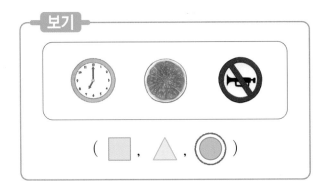

(■ , ▲ , **◯**)

(■ , ▲ , ●)

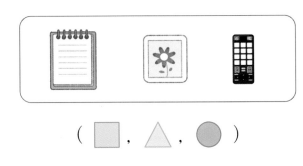

(■ , ▲ , ●)

(■ , ▲ , ●)

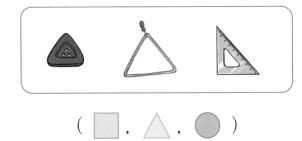

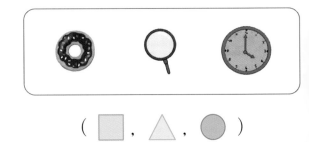

(■ , ▲ , ●)

(■ , ▲ , ●)

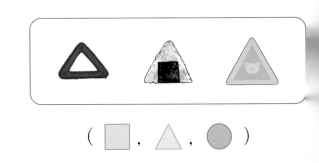

04

② 주어진 모양과 같은 모양을 모두 찾아 ◯표 하세요.

3 모양이 <u>다른</u> 하나를 찾아 ╳표 하세요.

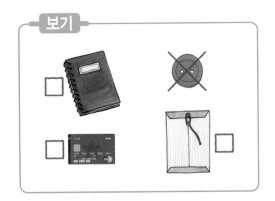

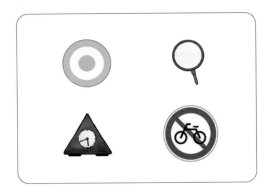

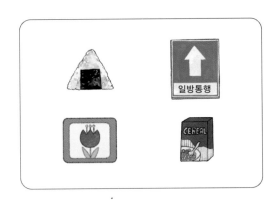

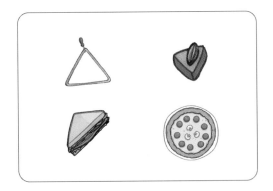

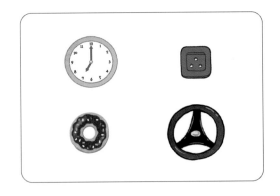

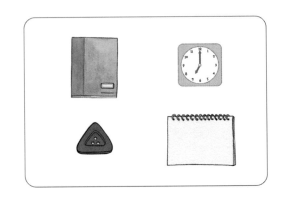

④ 각 모양의 수를 세어　　안에 알맞은 수를 써넣으세요.

■ 모양:　　개　　△ 모양:　　개　　● 모양:　　개

■ 모양:　　개　　△ 모양:　　개　　● 모양:　　개

 , 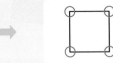 모양

- 뾰족한 곳이 **4**군데 있습니다.
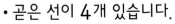
- 곧은 선이 **4**개 있습니다.

- 뾰족한 곳이 **3**군데 있습니다.
- 곧은 선이 **3**개 있습니다.

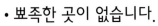
- 뾰족한 곳이 없습니다.
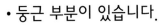
- 둥근 부분이 있습니다.

 ❶ 뾰족한 곳에 ◯표 하고, 　 안에 알맞은 수를 써넣으세요.

　□ 모양은 뾰족한 곳이 　 군데입니다.

　△ 모양은 뾰족한 곳이 　 군데입니다.

　◯ 모양은 뾰족한 곳이 　 군데입니다.

② 다음 물건의 바닥면에 물감을 묻혀 찍을 때 나오는 모양을 찾아 ◯표 하세요.

3 오른쪽 그림은 물건을 본뜬 모양입니다. 알맞게 이어 보세요.

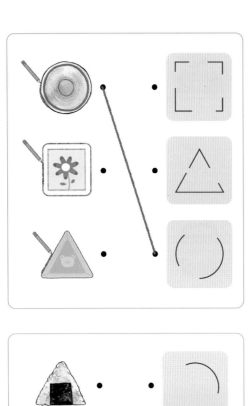

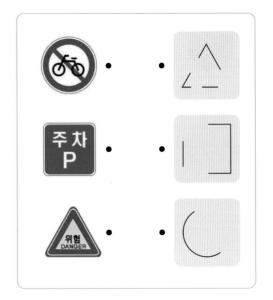

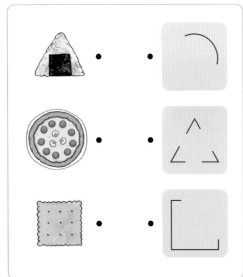

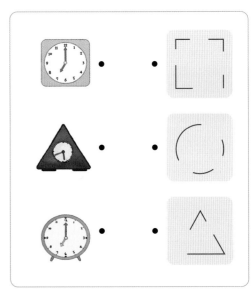

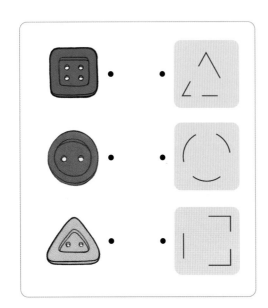

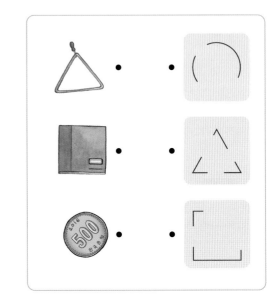

4 설명하는 모양을 모두 찾아 ◯표 하세요.

뽀족한 곳이 없습니다.
◯ 모양을 찾습니다.

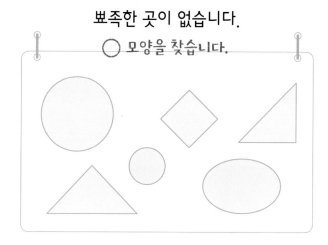

곧은 선이 **3**개 있습니다.
△ 모양을 찾습니다.

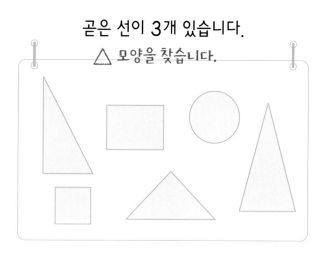

곧은 선이 **4**개 있습니다.

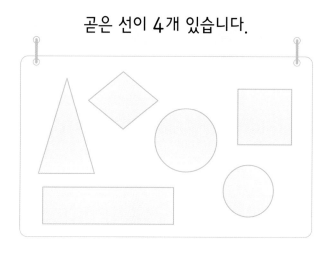

뽀족한 곳이 **4**군데 있습니다.

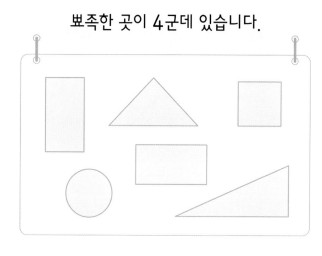

뽀족한 곳이 **3**군데 있습니다.

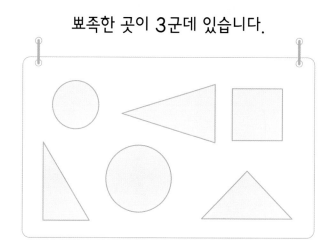

둥근 부분이 있습니다.

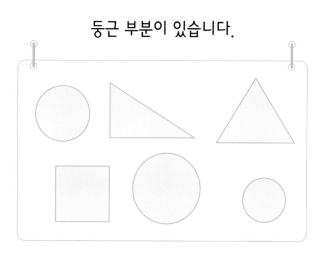

03 여러 가지 모양 꾸미기

정답 19쪽

 ▩, △, ● 모양으로 꾸미기

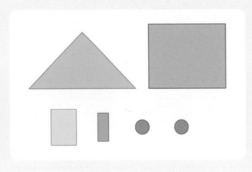 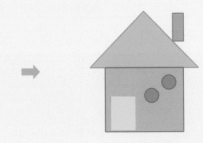

 ❶ 모양이 다른 하나를 찾아 ✕표 하세요.

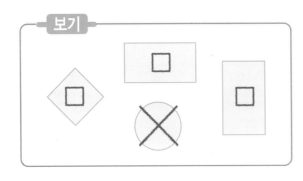 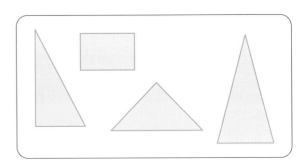

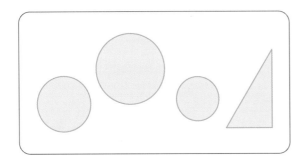 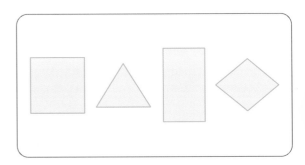

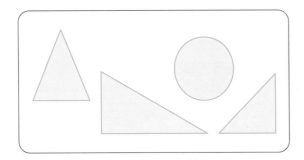 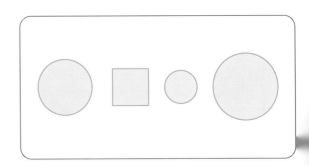

2 모양을 꾸미는데 사용한 모양에 모두 ◯표 하세요.

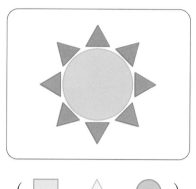

(▢ , △ , ⬤)

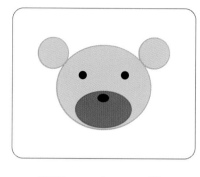

(▢ , △ , ⬤)

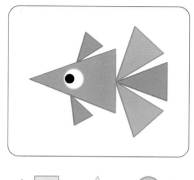

(▢ , △ , ⬤)

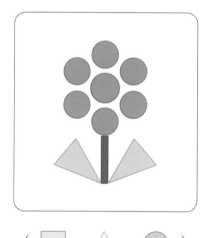

(▢ , △ , ⬤)

(▢ , △ , ⬤)

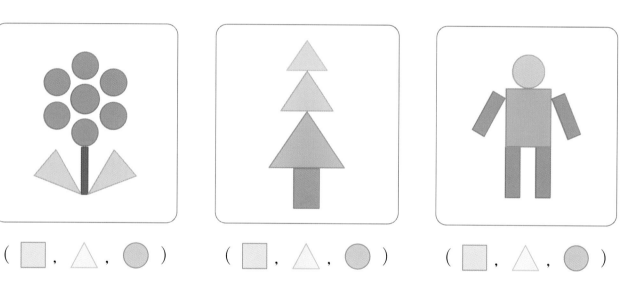

(▢ , △ , ⬤)

(▢ , △ , ⬤)

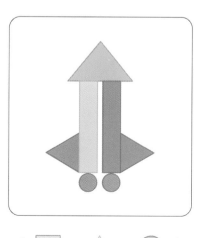

(▢ , △ , ⬤)

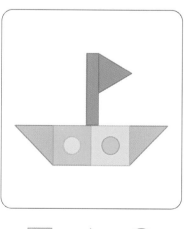

(▢ , △ , ⬤)

3 사용한 모양의 개수를 세어 ▨ 안에 써넣으세요.

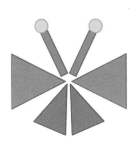

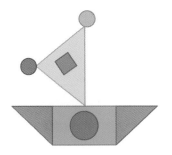

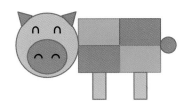

모양	개수
■	개
▲	개
●	개

모양	개수
■	개
▲	개
●	개

모양	개수
■	개
▲	개
●	개

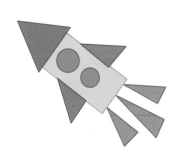

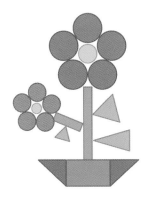

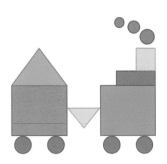

모양	개수
■	개
▲	개
●	개

모양	개수
■	개
▲	개
●	개

모양	개수
■	개
▲	개
●	개

주어진 모양을 모두 사용하여 만들 수 있는 모양에 ◯표 하세요.

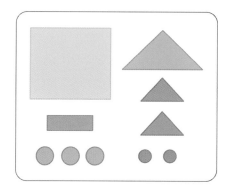

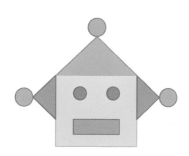

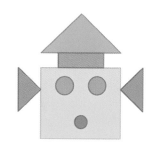

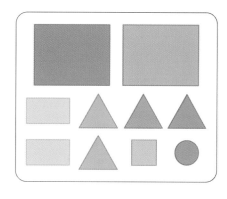

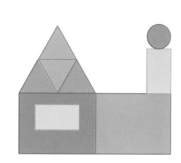

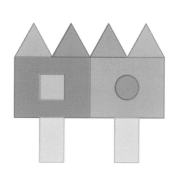

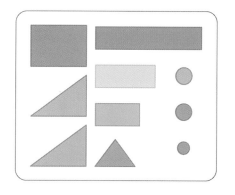

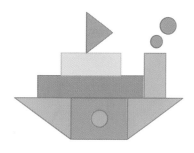

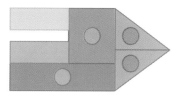

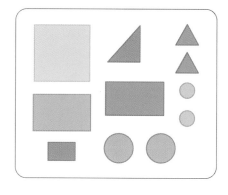

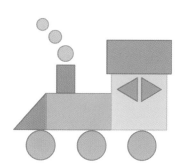

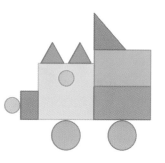

04 몇 시

정답 20쪽

🌰 몇 시 읽기

|시(한 시)　　　　2시(두 시)　　　　3시(세 시)

1 시각을 써 보세요.

☐ 시

☐ 시

☐ 시

☐ 시

☐ 시

☐ 시

☐ 시

☐ 시

☐ 시

16

2 같은 시각끼리 선으로 이어 보세요.

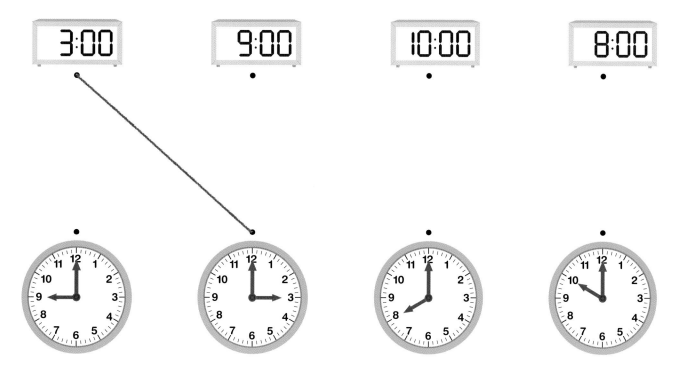

3 시각에 알맞게 짧은바늘을 그려 넣으세요.

9시

짧은바늘

긴바늘

4시

6시

8시

7시

9시

11시

10시

3시

1시

5시

2시

4 길을 따라가며 시각에 알맞게 시곗바늘을 그려 넣으세요.

05 몇 시 30분

초등 1-2 ③ 모양과 시각

몇 시 30분 읽기

 ➡

| 2시 30분
(열두 시 삼십 분)

 ➡

1시 30분
(한 시 삼십 분)

2시 30분
(두 시 삼십 분)

 1 시각을 써 보세요.

2 시 　 분

　 시 　 분

　 시 　 분

　 시 　 분

　 시 　 분

　 시 　 분

　 시 　 분

　 시 　 분

　 시 　 분

② 같은 시각끼리 선으로 이어 보세요.

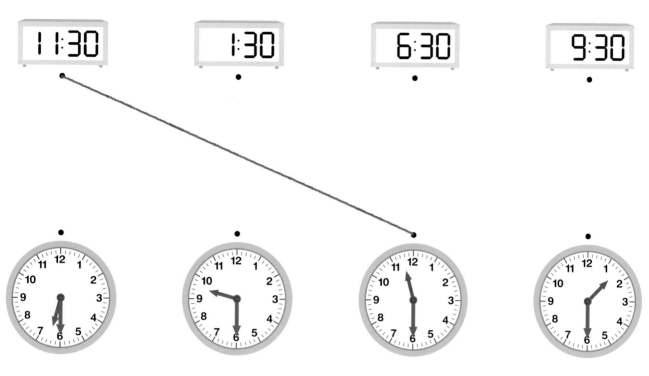

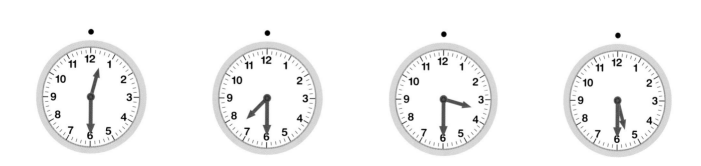

3 시각에 알맞게 시곗바늘을 그려 넣으세요.

긴바늘 그리기

짧은바늘 그리기

4 시각에 알맞게 시곗바늘을 그려 넣으세요.

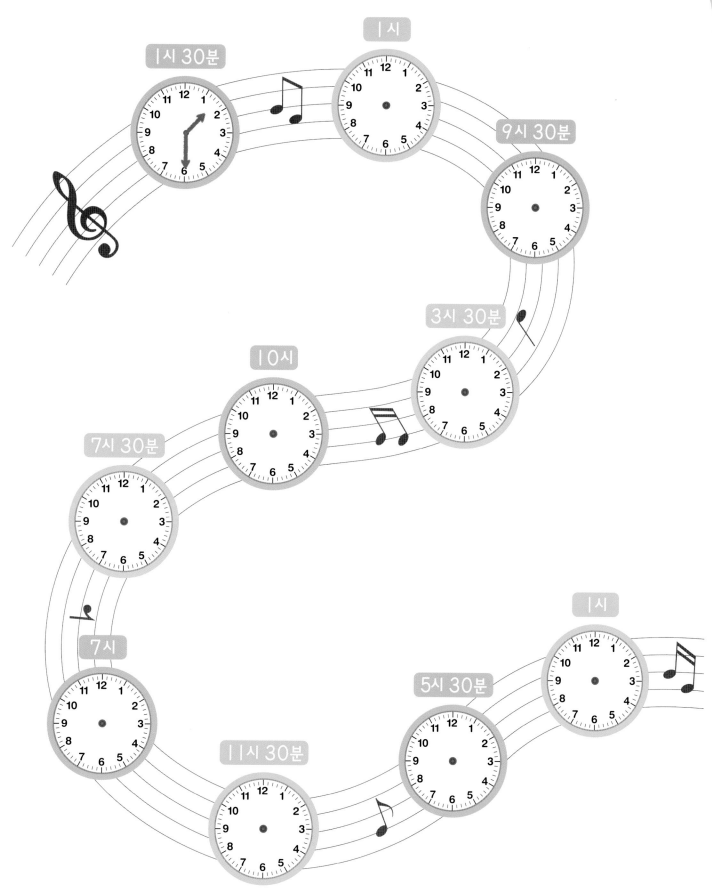

| 짧은바늘 ➡ 9 | 짧은바늘 ➡ 9와 10 사이 |
| 긴바늘 ➡ 12 | 긴바늘 ➡ 6 |

 ➡ 9시

 ➡ 9시 30분

응용 ① 시곗바늘을 그리고 시각을 써 보세요.

| 짧은바늘 ➡ 8 |
| 긴바늘 ➡ 12 |

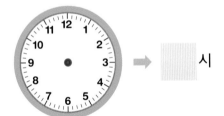 ➡ ☐ 시

| 짧은바늘 ➡ 5와 6 사이 |
| 긴바늘 ➡ 6 |

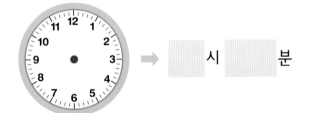 ➡ ☐ 시 ☐ 분

| 짧은바늘 ➡ 2 |
| 긴바늘 ➡ 12 |

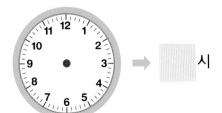 ➡ ☐ 시

| 짧은바늘 ➡ 3과 4 사이 |
| 긴바늘 ➡ 6 |

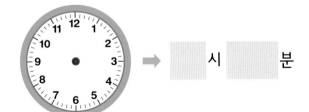 ➡ ☐ 시 ☐ 분

짧은바늘 ➡ 6
긴바늘 ➡ 12

➡ [ ] 시

짧은바늘 ➡ 1과 2 사이
긴바늘 ➡ 6

➡ [ ] 시 [ ] 분

짧은바늘 ➡ 7과 8 사이
긴바늘 ➡ 6

➡ [ ] 시 [ ] 분

짧은바늘 ➡ 12와 1 사이
긴바늘 ➡ 6

➡ [ ] 시 [ ] 분

짧은바늘 ➡ 2와 3 사이
긴바늘 ➡ 6

➡ [ ] 시 [ ] 분

짧은바늘 ➡ 11
긴바늘 ➡ 12

➡ [ ] 시

짧은바늘 ➡ 5
긴바늘 ➡ 12

➡ [ ] 시

짧은바늘 ➡ 6과 7 사이
긴바늘 ➡ 6

➡ [ ] 시 [ ] 분

짧은바늘 ➡ 10과 11 사이
긴바늘 ➡ 6

➡ [ ] 시 [ ] 분

짧은바늘 ➡ 3
긴바늘 ➡ 12

➡ [ ] 시

응용 3 그림을 보고 보기 와 같이 문장을 완성해 보세요.

보기

아침 8시에

양치를 했습니다.

[ ]시 [ ]분에

아침을 먹었습니다.

아침 [ ]시에

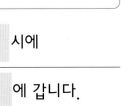에 갑니다.

[ ]시 [ ]분에

[ ]를 했습니다.

_____

_____

_____

_____

응용 4 보기와 같이 시각을 나타내고, 문장을 완성해 보세요.

보기

저녁 6시에

텔레비전을 봅니다.

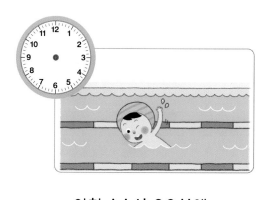

아침 11시 30분에

_____ 을 합니다.

저녁 5시에

_____ 를 했습니다.

낮 2시 30분에

_____ 를 했습니다.

낮 12시 30분에

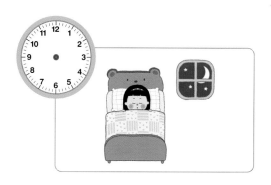

밤 9시에

정답 23쪽

초등 1-2

❸ 모양과 시각

01 모아 놓은 모양을 찾아 ◯표 하세요.

(1)

(▢ , △ , ⬤)

(2)

(▢ , △ , ⬤)

02 주어진 모양과 같은 모양을 모두 찾아 ◯표 하세요.

(1)
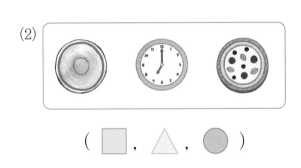

(2)

03 모양이 다른 하나를 찾아 ✕표 하세요.

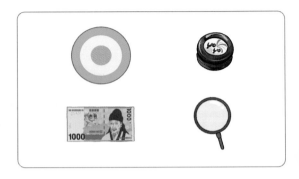

04 ▢ 모양은 몇 개일까요?

( )개

05 뾰족한 곳에 ◯표 하고, ▨ 안에 알맞은 수를 써넣으세요.

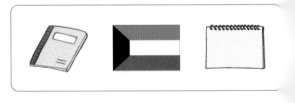

▢ 모양은 뾰족한 곳이

▨ 군데입니다.

06 물건의 바닥면에 물감을 묻혀 찍을 때 나오는 모양을 찾아 ◯표 하세요.

(1)

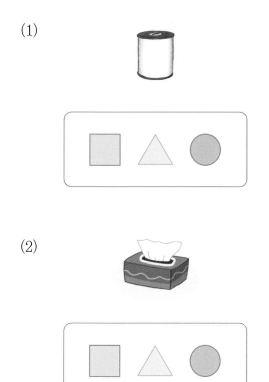

(2)

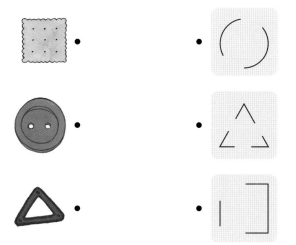

07 오른쪽 그림은 물건을 본뜬 모양입니다. 알맞게 이어 보세요.

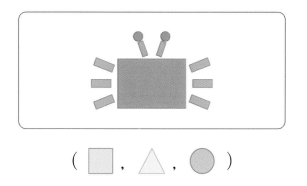

[08~09] 설명하는 모양을 모두 찾아 ◯표 하세요.

08   곧은 선이 **4**개 있습니다.

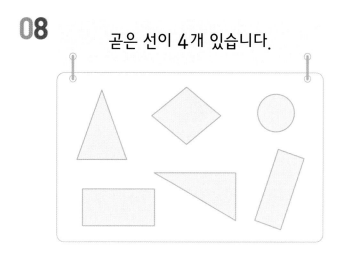

09   뾰족한 곳이 **3**군데 있습니다.

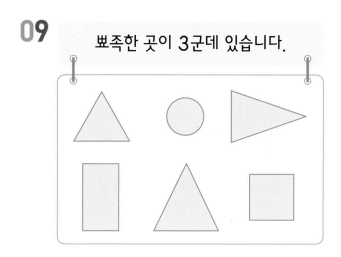

10 모양을 꾸미는데 사용한 모양에 모두 ◯표 하세요.

(▢ , △ , ◯)

11 사용한 모양의 개수를 세어 ▨ 안에 써넣으세요.

모양	개수
■	▨ 개
▲	▨ 개
●	▨ 개

12 주어진 모양을 모두 사용하여 만들 수 있는 모양에 ○표 하세요.

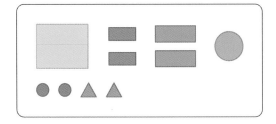

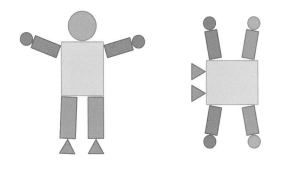

13 시각을 써 보세요.

(1) 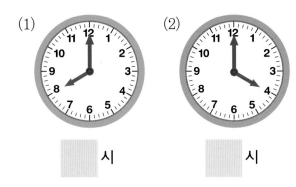 (2)

▨ 시   ▨ 시

14 같은 시각끼리 선으로 이어 보세요.

15 시각에 알맞게 짧은바늘을 그려 넣으세요.

(1) 5시 (2) 9시

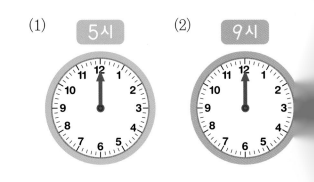

16 시각에 알맞게 시곗바늘을 그려 넣으세요.

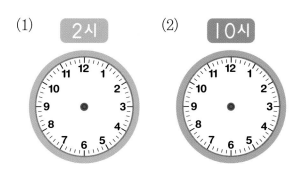

(1) 2시   (2) 10시

17 시각을 써 보세요.

      시   분

18 같은 시각끼리 선으로 이어 보세요.

3:30 •

9:30 •

6:30 •

19 시각에 알맞게 긴바늘 또는 짧은바늘을 그려 넣으세요.

(1) 4시 30분

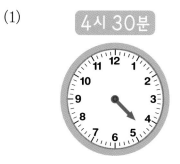

(2) 8시 30분

20 시각에 알맞게 시곗바늘을 그려 넣으세요.

(1) 5시 30분

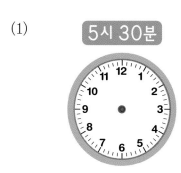

(2) 11시 30분

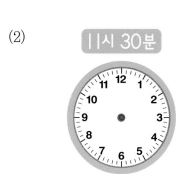

[1~3] 물건을 보고 물음에 답하세요.

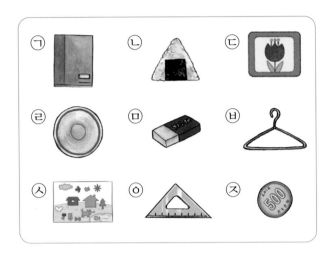

1 ☐ 모양의 물건을 모두 찾아 기호를 쓰세요.

(   )

2 △ 모양의 물건을 모두 찾아 기호를 쓰세요.

(   )

3 ● 모양의 물건을 모두 찾아 기호를 쓰세요.

(   )

4 왼쪽과 같은 모양을 모두 찾아 색칠하세요.

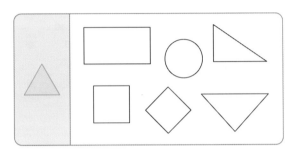

5 물감을 묻혀 찍기를 할 때 나올 수 <u>없</u>는 모양을 찾아 ✕표 하세요.

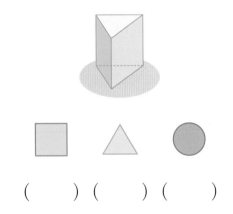

(   ) (   ) (   )

6 어떤 모양의 일부분을 나타낸 그림입니다. 알맞은 모양을 찾아 선으로 이어 보세요.

 •

[7~9] 물건을 보고 물음에 답하세요.

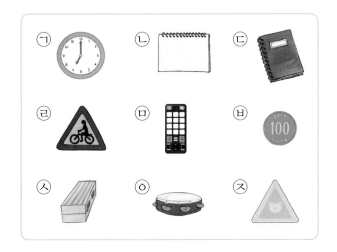

7 본을 떴을 때 곧은 선이 4개 있는 물건을 모두 찾아 기호를 쓰세요.

(   )

8 본을 떴을 때 곧은 선이 3개 있는 물건을 모두 찾아 기호를 쓰세요.

(   )

9 본을 떴을 때 곧은 선과 뾰족한 부분이 없는 물건을 모두 찾아 기호를 쓰세요.

(   )

10 색종이를 다음과 같이 접은 다음 펼쳐서 접힌 선을 따라 자르면 △ 모양이 몇 개 생길까요?

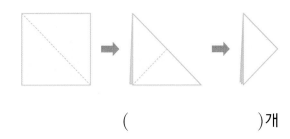

(   )개

11 모양을 만드는 데 사용한 ▢, △, ◯ 모양은 각각 몇 개일까요?

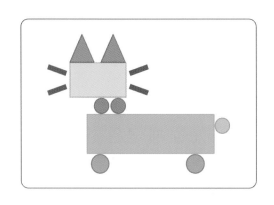

▢ 모양: ⬚ 개

△ 모양: ⬚ 개

◯ 모양: ⬚ 개

12 주어진 모양을 모두 사용하여 만들 수 있는 모양에 ◯표 하세요.

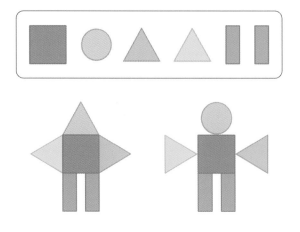

13 색종이로 다음과 같은 모양을 꾸몄습니다. 가장 많이 사용한 모양은 가장 적게 사용한 모양보다 몇 개 더 많을까요?

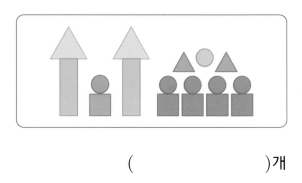

(   )개

14 시각을 읽어 보세요.

⬚ 시

15 시각에 알맞게 시곗바늘을 그려 넣으세요.

16 같은 시각끼리 선으로 이으세요.

 •   •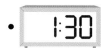

 •   •

 •   •

17 시곗바늘이 <u>잘못</u> 그려진 시계를 찾아 ×표 하세요.

(   ) (   ) (   )

18 시계의 짧은바늘과 긴바늘이 동시에 12를 가리키는 시각을 쓰세요.

(   )시

19 재석, 명수, 세호가 오늘 숙제를 끝낸 시각을 나타낸 것입니다. 숙제를 가장 먼저 끝낸 사람은 누구일까요?

재석   명수   세호

(   )

20 선미가 텔레비전을 보기 시작한 시각을 설명한 것입니다. 선미가 텔레비전을 보기 시작한 시각은 몇 시 몇 분일까요?

○ 5시와 6시 사이의 시각입니다.
○ 긴바늘이 숫자 6을 가리킵니다.

(   )시 (   )분

memo

논리적 사고력과 창의적 문제해결력을 키워 주는
매스티안 교재 활용법!

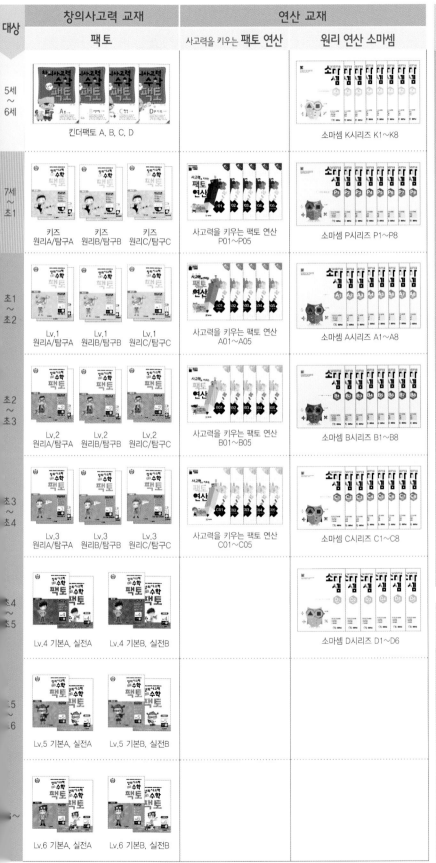

대상	창의사고력 교재 팩토			연산 교재 사고력을 키우는 팩토 연산	원리 연산 소마셈
5세~6세	킨더팩토 A, B, C, D				소마셈 K시리즈 K1~K8
7세~초1	키즈 원리A/탐구A	키즈 원리B/탐구B	키즈 원리C/탐구C	사고력을 키우는 팩토 연산 P01~P05	소마셈 P시리즈 P1~P8
초1~초2	Lv.1 원리A/탐구A	Lv.1 원리B/탐구B	Lv.1 원리C/탐구C	사고력을 키우는 팩토 연산 A01~A05	소마셈 A시리즈 A1~A8
초2~초3	Lv.2 원리A/탐구A	Lv.2 원리B/탐구B	Lv.2 원리C/탐구C	사고력을 키우는 팩토 연산 B01~B05	소마셈 B시리즈 B1~B8
초3~초4	Lv.3 원리A/탐구A	Lv.3 원리B/탐구B	Lv.3 원리C/탐구C	사고력을 키우는 팩토 연산 C01~C05	소마셈 C시리즈 C1~C8
초4~초5	Lv.4 기본A, 실전A	Lv.4 기본B, 실전B			소마셈 D시리즈 D1~D6
초5~초6	Lv.5 기본A, 실전A	Lv.5 기본B, 실전B			
초6~	Lv.6 기본A, 실전A	Lv.6 기본B, 실전B			

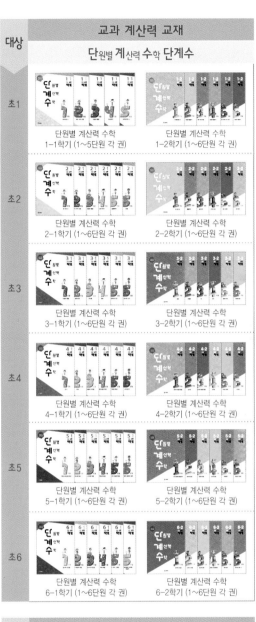

대상	교과 계산력 교재 단원별 계산력 수학 단계수	
초1	단원별 계산력 수학 1-1학기 (1~5단원 각 권)	단원별 계산력 수학 1-2학기 (1~6단원 각 권)
초2	단원별 계산력 수학 2-1학기 (1~6단원 각 권)	단원별 계산력 수학 2-2학기 (1~6단원 각 권)
초3	단원별 계산력 수학 3-1학기 (1~6단원 각 권)	단원별 계산력 수학 3-2학기 (1~6단원 각 권)
초4	단원별 계산력 수학 4-1학기 (1~6단원 각 권)	단원별 계산력 수학 4-2학기 (1~6단원 각 권)
초5	단원별 계산력 수학 5-1학기 (1~6단원 각 권)	단원별 계산력 수학 5-2학기 (1~6단원 각 권)
초6	단원별 계산력 수학 6-1학기 (1~6단원 각 권)	단원별 계산력 수학 6-2학기 (1~6단원 각 권)

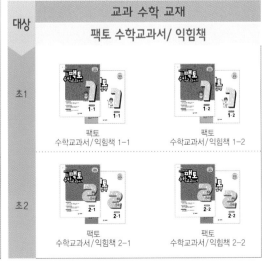

대상	교과 수학 교재 팩토 수학교과서 / 익힘책	
초1	팩토 수학교과서/익힘책 1-1	팩토 수학교과서/익힘책 1-2
초2	팩토 수학교과서/익힘책 2-1	팩토 수학교과서/익힘책 2-2

단계수 학습 순서

매일 학습

단원별로 꼭 알아야 할 개념만 쏙쏙 학습하고,
다양한 연산 문제를 통해 필수 개념을 숙달하여
계산력을 쑥쑥 키울 수 있습니다.

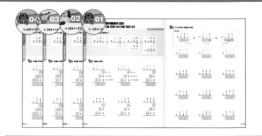

도전! 응용문제

필수 개념을 활용한 **응용** 문제 또는 **서술형** 문제
를 통해 사고력과 문제해결력을 기를 수 있습
니다.

형성 평가

단원의 **복습 단계**로 문제를 풀면서 학습한 내용을
잘 알고 있는지 다시 한 번 확인할 수 있습니다.

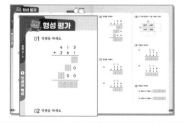

단원 평가

단원의 **마무리 학습**으로 학교 시험에 자주 나오는
문제 유형을 통해서 수시 평가 등 학교 시험에
대비할 수 있습니다.

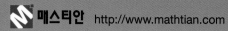 매스티안 http://www.mathtian.com

자율안전확인신고필증번호 : B361H200-4001
1. 주소 : 06153 서울특별시 강남구 봉은사로 442 (삼성동)
2. 문의전화 : 1588-6066
3. 제조국 : 대한민국
4. 사용연령 : 8세 이상
※ KC마크는 이 제품이 공통안전기준에 적합하였음을 의미합니다.

⚠ 주의
종이, 모서리에 다칠 수
있으니 주의하세요!

	초등학교	반	번
이름			

1-2

초등 수학
팩토

단원별 계산력 수학

4
단원

덧셈과 뺄셈(2)

매스티안

팩토는 자유롭게 자신감있게 창의적으로 생각하는 주니어수학자입니다.

단계별산력수학

펴낸 곳 (주)타임교육C&P   **펴낸이** 이길호   **지은이** 매스티안R&D센터
주소 06153 서울특별시 강남구 봉은사로 442 (삼성동)   **문의전화** 1588.6066
팩토카페 http://cafe.naver.com/factos   **홈페이지** http://www.mathtian.com

※ 이 책의 모든 내용과 삽화에 대한 저작권은 (주)타임교육C&P에 있으므로 무단 복제와 전송을 금합니다.
※ 정답과 풀이는 온라인 팩토카페(http://cafe.naver.com/factos)를 통해서도 확인할 수 있습니다.

생각이 자유로운 사람들! 매스티안R&D센터
매스티안R&D센터의 논리적 사고력과 창의적 문제해결력을 키우는 수학 콘텐츠는 국내외 수많은 교육 현장에서 그 우수성을 높이 평가받고 있습니다.
매스티안R&D센터는 여기에 안주하지 않고 앞으로도 학생, 교사, 학부모 모두가 행복한 수학 시간을 만들 수 있도록 노력하겠습니다.

매스티안 공식 홈페이지 … (http://www.mathtian.com)

· 매스티안의 다양한 출간 교재 소개

· 출간 교재와 관련된 학습 자료(보충 학습지, 활동지 등) 제공

· 출간 교재와 관련된 평가 시험 및 분석 제공

매스티안 공식 카페 … 팩토 (http://cafe.naver.com/factos)

· 창의사고력 수학 팩토 무료 동영상 강의 제공

· 출간 교재에 관한 질문 및 답변

· 영재교육원 대비 자료(기출 문제, 예상 문제) 제공

· 초등 수학 비법 및 Q&A

단원별 계산력 수학

4
단원

덧셈과 뺄셈(2)

매스티안

3. 덧셈과 뺄셈
· 9 이하 수의 모으기와 가르기
· 덧셈과 뺄셈

2. 덧셈과 뺄셈 (1)
· 10이 되는 더하기, 10에서 빼기

4. 덧셈과 뺄셈 (2)
· 받아올림이 있는 (몇)+(몇)
· 받아내림이 있는 (십몇)−(몇)

6. 덧셈과 뺄셈 (3)
· 받아올림이 없는 (몇십몇)+(몇)
· 받아내림이 없는 (몇십몇)−(몇)

 1-1

 1-2

 1-2

6. 곱셈
· 묶어 세기, 몇 배
· 곱셈식으로 나타내기

 2-1

2. 곱셈구구
· 1단부터 9단까지 곱셈구구
· 0과 어떤 수의 곱

 2-2

3. 나눗셈
· 똑같이 나누기
· 곱셈과 나눗셈의 관계
· 나눗셈의 몫 구하기

3-1

4. 곱셈
· (두 자리 수)×(한 자리 수)

3-1

4 덧셈과 뺄셈(2)

Teaching Guide

이 단원에서는 앞에서 배운 덧셈, 뺄셈을 바탕으로 10을 이용한 수의 합성과 분해를 다룬 후 덧셈과 뺄셈에서 가장 중요한 받아올림이 있는 (몇)+(몇)=(십몇)과 받아내림이 있는 (십몇)−(몇)=(몇)의 계산을 중점적으로 학습합니다. 단순 반복 학습을 통해 기계적으로 계산하는 능력을 키우기 보다는 10의 보수를 활용하여 받아올림이 있는 덧셈과 받아내림이 있는 뺄셈을 할 수 있도록 지도해야 합니다. 왜냐하면 이는 이후 2학년, 3학년에서 나오는 큰 수의 덧셈과 뺄셈의 기초가 되는 중요한 활동이기 때문입니다.

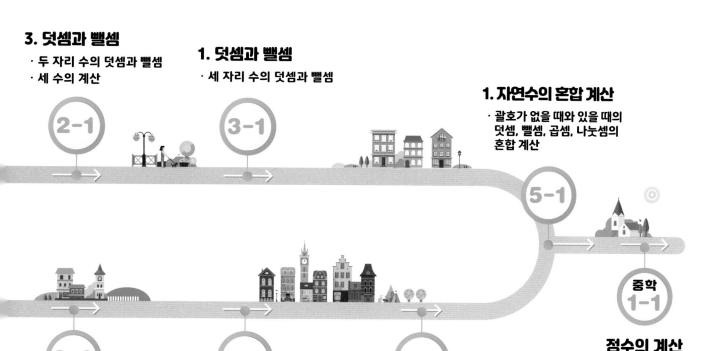

3. 덧셈과 뺄셈
- 두 자리 수의 덧셈과 뺄셈
- 세 수의 계산

2-1

1. 덧셈과 뺄셈
- 세 자리 수의 덧셈과 뺄셈

3-1

1. 자연수의 혼합 계산
- 괄호가 없을 때와 있을 때의 덧셈, 뺄셈, 곱셈, 나눗셈의 혼합 계산

5-1

중학 1-1

정수의 계산

3-2

1. 곱셈
- (세 자리 수)×(한 자리 수)
- (두 자리 수)×(두 자리 수)

3-2

2. 나눗셈
- (두 자리 수)÷(한 자리 수)
- (세 자리 수)÷(한 자리 수)

4-1

3. 곱셈과 나눗셈
- (세 자리 수)×(두 자리 수)
- (두 자리 수)÷(두 자리 수)
- (세 자리 수)÷(두 자리 수)

공부한 날짜

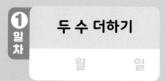

① 일차 두 수 더하기
월 일

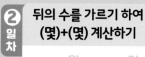

② 일차 뒤의 수를 가르기 하여 (몇)+(몇) 계산하기
월 일

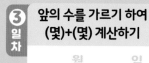

③ 일차 앞의 수를 가르기 하여 (몇)+(몇) 계산하기
월 일

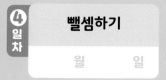

④ 일차 뺄셈하기
월 일

⑤ 일차 뒤의 수를 가르기 하여 (십몇)-(몇) 계산하기
월 일

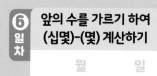

⑥ 일차 앞의 수를 가르기 하여 (십몇)-(몇) 계산하기
월 일

⑦ 일차 응용 문제
월 일

⑧ 일차 형성 평가
월 일

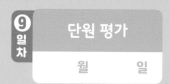

⑨ 일차 단원 평가
월 일

01 두 수 더하기

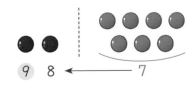

🌰 이어 세기로 두 수 더하기

$$6 + 3 = 9$$

큰 수 6에서 3을 이어 세기

6 ⟶ 7 8 9

$$2 + 7 = 9$$

큰 수 7에서 2를 이어 세기

9 8 ⟵ 7

1 이어 세기를 하여 두 수의 덧셈을 해 보세요.

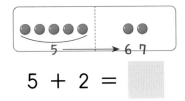

5 ⟶ 6 7

$$5 + 2 = \boxed{}$$

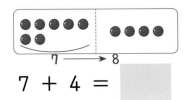

7 ⟶ 8

$$7 + 4 = \boxed{}$$

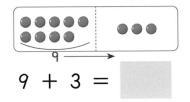

9 ⟶

$$9 + 3 = \boxed{}$$

$$6 + 2 = \boxed{}$$

$$5 + 3 = \boxed{}$$

$$8 + 4 = \boxed{}$$

$$9 + 5 = \boxed{}$$

$$8 + 2 = \boxed{}$$

$$5 + 4 = \boxed{}$$

$$7 + 3 = \boxed{}$$

$$6 + 3 = \boxed{}$$

$$8 + 5 = \boxed{}$$

초등 1-2

❹ 덧셈과 뺄셈 (2)

2 이어 세기를 하여 두 수의 덧셈을 해 보세요.

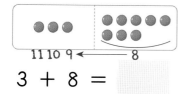

11 10 9 ← 8

3 + 8 =

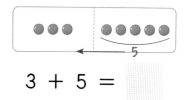

8 ← 7

2 + 7 =

← 5

3 + 5 =

2 + 6 =

3 + 9 =

4 + 6 =

4 + 5 =

1 + 8 =

2 + 9 =

5 + 7 =

4 + 7 =

1 + 6 =

3 + 6 =

5 + 8 =

2 + 5 =

6 + 9 =

1 + 7 =

4 + 8 =

⑧ → ⑨⑩⑪
8 + 3 =

⑨ → ⑩⑪
9 + 2 =

⑦ → ⑧⑨⑩⑪
7 + 4 =

⑫⑪⑩ ← ⑨
3 + 9 =

⑬⑫⑪⑩ ← ⑨
4 + 9 =

⑪⑩⑨ ← ⑧
3 + 8 =

⑤ →
5 + 5 =

⑦ →
7 + 5 =

← ⑨
2 + 9 =

← ⑧
2 + 8 =

← ⑦
3 + 7 =

⑧ →
8 + 4 =

9 + 3 =

4 + 7 =

7 + 6 =

8 + 6 =

8 + 5 =

4 + 8 =

9 + 4 =

9 + 6 =

6 + 5 =

4 그림을 보고 두 수를 바꾸어 더해 보고, 알 수 있는 사실을 완성해 보세요.

$8 + 5 =$

$5 + 8 =$

$9 + 6 =$

$6 + 9 =$

$6 + 3 =$

$3 + 6 =$

$7 + 4 =$

$4 + 7 =$

$6 + 5 =$

$5 + 6 =$

$9 + 4 =$

$4 + 9 =$

$9 + 3 =$

$3 + 9 =$

$8 + 4 =$

$4 + 8 =$

$7 + 5 =$

$5 + 7 =$

$7 + 6 =$

$6 + 7 =$

$9 + 5 =$

$5 + 9 =$

$8 + 6 =$

$6 + 8 =$

알 수 있는 사실

$3 + 5$, $5 + 3$과 같이 3과 5를 바꾸어 더해도 그 값은 (같습니다 , 다릅니다).

02 뒤의 수를 가르기 하여 (몇)+(몇) 계산하기

정답 26쪽

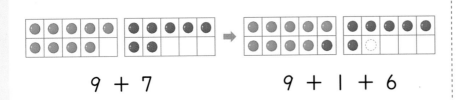

$$9 + 7 = 16$$

$$9 + 7 \qquad 9 + 1 + 6$$

초등 1-2

❹ 덧셈과 뺄셈 (2)

1 그림을 보고 뒤의 수를 가르기 하여 덧셈을 해 보세요.

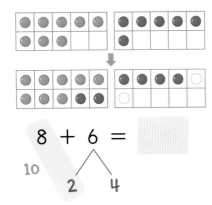

$$8 + 6 =$$

10

2   4

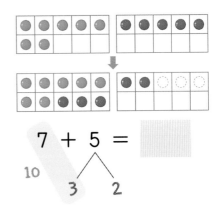

$$7 + 5 =$$

10

3   2

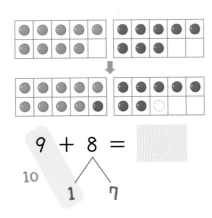

$$9 + 8 =$$

10

1   7

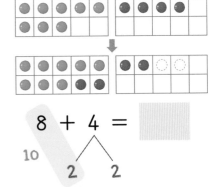

$$8 + 4 =$$

10

2   2

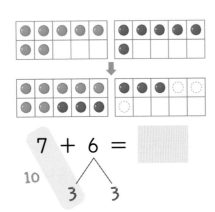

$$7 + 6 =$$

10

3   3

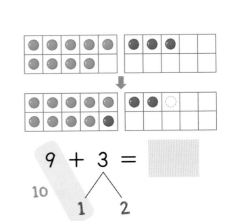

$$9 + 3 =$$

10

1   2

2 뒤의 수를 가르기 하여 덧셈을 해 보세요.

8 + 7 =
10
2 5

6 + 5 =
10
4 1

9 + 8 =
10
1 7

7 + 7 =
10
3

9 + 5 =
10

8 + 4 =
10

9 + 7 =
10

8 + 3 =
10

7 + 5 =
10

9 + 4 =
10

7 + 6 =
10

9 + 2 =
10

8 + 5 =
10

8 + 8 =
10

7 + 4 =
10

9 + 6 =
10

9 + 9 =
10

9 + 3 =
10

3 뒤의 수를 가르기 하여 덧셈을 해 보세요.

9 + 6 =

10　　1　5

6 + 5 =

10

8 + 4 =

7 + 6 =

8 + 3 =

9 + 8 =

6 + 6 =

9 + 5 =

8 + 5 =

7 + 4 =

8 + 8 =

9 + 2 =

9 + 7 =

7 + 5 =

8 + 6 =

9 + 3 =

8 + 7 =

9 + 4 =

8 + 3 =

9 + 9 =

7 + 7 =

4 갈림길에서 푯말에 있는 덧셈식에 알맞은 값을 따라가 친구가 있는 곳에 도착해 보세요.

03 앞의 수를 가르기 하여 (몇)+(몇) 계산하기

정답 27쪽

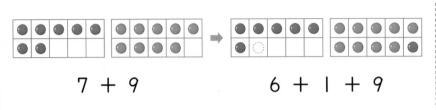

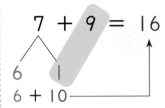

 1 그림을 보고 앞의 수를 가르기 하여 덧셈을 해 보세요.

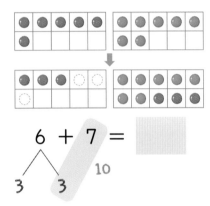

$6 + 7 =$ 　

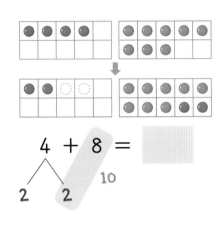

$4 + 8 =$ 　

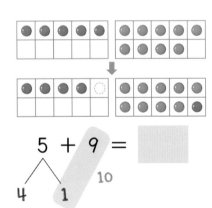

$5 + 9 =$ 　

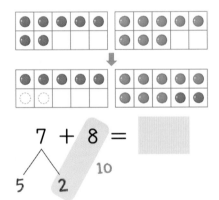

$7 + 8 =$ 　

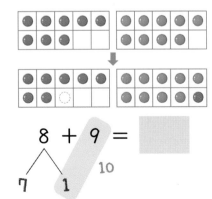

$8 + 9 =$ 　

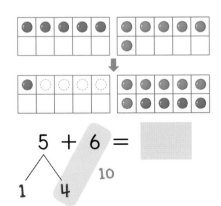

$5 + 6 =$

2 앞의 수를 가르기 하여 덧셈을 해 보세요.

6 + 8 = ☐

4   2   10

5 + 9 = ☐

4   1   10

3 + 8 = ☐

1   2   10

4 + 7 = ☐

3   10

7 + 8 = ☐

10

5 + 7 = ☐

10

8 + 9 = ☐

10

6 + 7 = ☐

10

2 + 9 = ☐

10

7 + 9 = ☐

10

4 + 8 = ☐

10

3 + 9 = ☐

10

6 + 9 = ☐

10

5 + 8 = ☐

10

5 + 6 = ☐

10

4 + 9 = ☐

10

8 + 8 = ☐

10

6 + 6 = ☐

10

3 앞의 수를 가르기 하여 덧셈을 해 보세요.

6 + 9 = ⬜   5 + 7 = ⬜   4 + 8 = ⬜

5   1   10   10

8 + 9 = ⬜   5 + 8 = ⬜   6 + 6 = ⬜

3 + 8 = ⬜   6 + 7 = ⬜   6 + 8 = ⬜

4 + 7 = ⬜   3 + 9 = ⬜   5 + 9 = ⬜

8 + 8 = ⬜   7 + 7 = ⬜   5 + 6 = ⬜

5 + 8 = ⬜   2 + 9 = ⬜   4 + 9 = ⬜

7 + 9 = ⬜   7 + 8 = ⬜   6 + 7 = ⬜

실력평가

1. $3 + 8 =$

2. $5 + 7 =$

3. $7 + 6 =$

4. $4 + 9 =$

5. $9 + 6 =$

6. $6 + 5 =$

7. $8 + 6 =$

8. $2 + 9 =$

9. $8 + 7 =$

10. $7 + 9 =$

11. $3 + 9 =$

12. $5 + 8 =$

13. $8 + 3 =$

14. $9 + 5 =$

15. $4 + 7 =$

16. $6 + 8 =$

17. $6 + 9 =$

18. $9 + 3 =$

19. $4 + 8 =$

20. $8 + 9 =$

수고하셨습니다!

04 뺄셈하기

정답 28쪽

🍂 빼는 수만큼 지워서 구하기

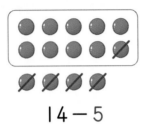 ➡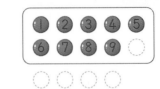

$$14 - 5 \qquad 14 - 5 = 9$$

 그림을 보고 뺄셈을 해 보세요.

$$12 - 3 = \boxed{} \qquad 13 - 5 = \boxed{} \qquad 11 - 4 = \boxed{}$$

$$16 - 7 = \boxed{} \qquad 15 - 8 = \boxed{} \qquad 14 - 6 = \boxed{}$$

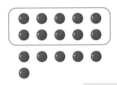

$$17 - 9 = \boxed{} \qquad 12 - 4 = \boxed{} \qquad 13 - 7 = \boxed{}$$

$$15 - 7 = \boxed{} \qquad 14 - 9 = \boxed{} \qquad 12 - 5 = \boxed{}$$

2 식에 알맞게 ╱로 지우며 뺄셈을 해 보세요.

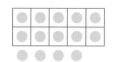

$14 - 8 =$

$12 - 6 =$

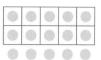

$15 - 9 =$

$16 - 8 =$

$18 - 9 =$

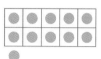

$11 - 3 =$

$13 - 6 =$

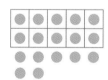

$17 - 8 =$

$16 - 9 =$

$14 - 7 =$

$11 - 5 =$

$17 - 9 =$

$15 - 6 =$

$12 - 7 =$

$13 - 9 =$

🍂 **비교하여 구하기**

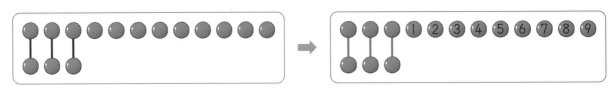

$12 - 3$ → $12 - 3 = 9$

🐭**3** **그림을 보고 뺄셈을 해 보세요.**

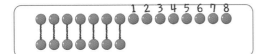

$15 - 7 =$ ☐

$13 - 8 =$ ☐

$16 - 9 =$ ☐

$14 - 5 =$ ☐

$11 - 6 =$ ☐

$12 - 7 =$ ☐

$17 - 8 =$ ☐

$15 - 6 =$ ☐

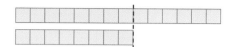 의 개수를 비교하여 뺄셈을 해 보세요.

$14-8=$

$16-8=$

$13-4=$

$16-7=$

$13-7=$

$17-9=$

$12-5=$

$14-6=$

$11-8=$

$15-9=$

05 뒤의 수를 가르기 하여 (십몇)-(몇) 계산하기

정답 29쪽

초등 1-2

❹ 덧셈과 뺄셈 (2)

14-6

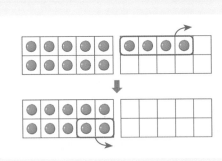

14 - 4 = 10

10 - 2 = 8

➡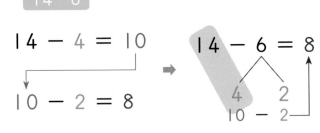

 그림을 보고 뒤의 수를 가르기 하여 뺄셈을 해 보세요.

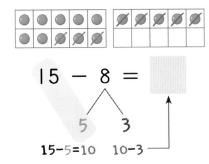

15 - 8 =

5   3

15-5=10   10-3

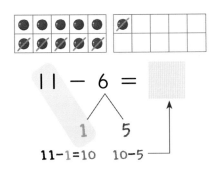

11 - 6 =

1   5

11-1=10   10-5

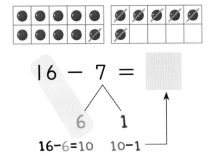

16 - 7 =

6   1

16-6=10   10-1

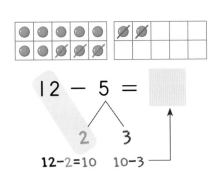

12 - 5 =

2   3

12-2=10   10-3

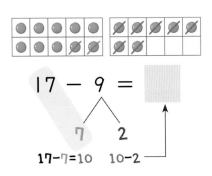

17 - 9 =

7   2

17-7=10   10-2

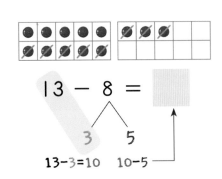

13 - 8 =

3   5

13-3=10   10-5

❷ 뒤의 수를 가르기 하여 뺄셈을 해 보세요.

$12 - 8 =$

10   2   6   10-6

$16 - 8 =$

10   6   2   10-2

$13 - 6 =$

10   3   3

$14 - 7 =$

10   4

$11 - 5 =$

10

$15 - 9 =$

10

$18 - 9 =$

10

$13 - 4 =$

10

$12 - 6 =$

10

$11 - 7 =$

10

$12 - 9 =$

10

$14 - 8 =$

10

$15 - 6 =$

10

$16 - 9 =$

10

$11 - 4 =$

10

$17 - 8 =$

10

$14 - 5 =$

10

$13 - 7 =$

10

3 뒤의 수를 가르기 하여 뺄셈을 해 보세요.

16 − 8 = ⬜
10 ∧
6   2   10-2

12 − 7 = ⬜
10 ∧
2   5

11 − 9 = ⬜
∧

17 − 9 = ⬜
∧

14 − 6 = ⬜
∧

13 − 5 = ⬜
∧

12 − 3 = ⬜
∧

11 − 8 = ⬜
∧

15 − 7 = ⬜
∧

11 − 5 = ⬜
∧

13 − 9 = ⬜
∧

11 − 3 = ⬜
∧

14 − 9 = ⬜
∧

12 − 6 = ⬜
∧

18 − 9 = ⬜
∧

15 − 8 = ⬜
∧

13 − 7 = ⬜
∧

12 − 4 = ⬜
∧

12 − 9 = ⬜
∧

13 − 6 = ⬜
∧

16 − 7 = ⬜
∧

4 뺄셈한 값이 큰 쪽의 길을 따라가 집에 도착해 보세요.

출발

13 − 6 = 7

13 − 7 = 6

15 − 7

16 − 7

12 − 4

12 − 5

14 − 9

15 − 9

11 − 8

12 − 8

13 − 5

13 − 4

도착

14 − 8

13 − 8

17 − 8

17 − 9

06 앞의 수를 가르기 하여 (십몇)-(몇) 계산하기

정답 30쪽

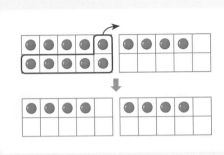

$$14-6$$

$$10 - 6 = 4$$

$$4 + 4 = 8$$

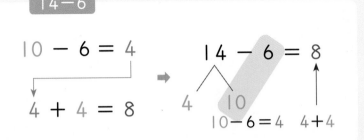

1 그림을 보고 앞의 수를 가르기 하여 뺄셈을 해 보세요.

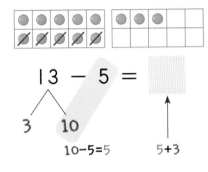

$$13 - 5 =$$

3 10

10-5=5   5+3

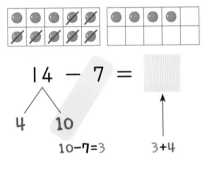

$$14 - 7 =$$

4 10

10-7=3   3+4

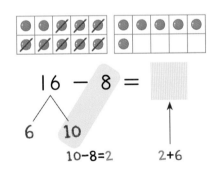

$$16 - 8 =$$

6 10

10-8=2   2+6

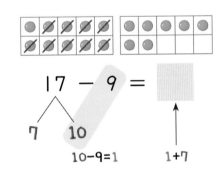

$$17 - 9 =$$

7 10

10-9=1   1+7

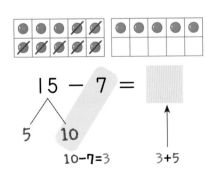

$$15 - 7 =$$

5 10

10-7=3   3+5

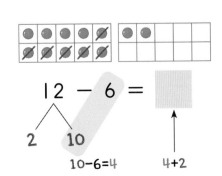

$$12 - 6 =$$

2 10

10-6=4   4+2

2 앞의 수를 가르기 하여 뺄셈을 해 보세요.

13 − 6 =

3　10
10-6=4　4+3

14 − 8 =

4　10
10-8=2

11 − 5 =

1　10

16 − 7 =

10

12 − 8 =

15 − 9 =

12 − 4 =

15 − 8 =

11 − 6 =

18 − 9 =

14 − 5 =

13 − 8 =

11 − 3 =

12 − 7 =

13 − 9 =

17 − 8 =

15 − 6 =

11 − 7 =

11 − 9 =

1   10
10-9=1   1+1

16 − 7 =

6   10
10-7=3

15 − 8 =

17 − 8 =

11 − 4 =

14 − 7 =

13 − 9 =

14 − 6 =

13 − 7 =

12 − 8 =

12 − 6 =

16 − 9 =

13 − 4 =

15 − 7 =

14 − 5 =

12 − 9 =

11 − 8 =

15 − 6 =

18 − 9 =

13 − 5 =

17 − 9 =

실력평가

1. $12 - 9 =$

2. $15 - 8 =$

3. $18 - 9 =$

4. $14 - 6 =$

5. $16 - 9 =$

6. $13 - 4 =$

7. $11 - 8 =$

8. $17 - 8 =$

9. $14 - 7 =$

10. $12 - 3 =$

11. $11 - 5 =$

12. $16 - 8 =$

13. $15 - 6 =$

14. $12 - 5 =$

15. $11 - 7 =$

16. $17 - 9 =$

17. $16 - 7 =$

18. $14 - 5 =$

19. $13 - 6 =$

20. $12 - 8 =$

수고하셨습니다!

초등 1-2

❹ 덧셈과 뺄셈 (2)

유형 1 ||||||||||||||||||||||||||||||||||||

연필꽂이에 연필이 ⑧자루, 색연필이 ⑦자루 있습니다. 연필꽂이에 있는 <u>연필과 색연필은 모두 몇 자루일까요?</u>

➡ **주어진 수에 ○표 하고, 구하는 것에 밑줄 치기**

연필의 수: **8** 자루, 색연필의 수: ⬜ 자루

➡ **문제 해결하기**

연필꽂이에 있는 연필의 수와 색연필의 수를 (더합니다 , 뺍니다).

➡ **문제 풀기**

(연필과 색연필의 수)＝(연필의 수)＋(색연필의 수)

＝ ⬜ ＋ ⬜ ＝ ⬜ (자루)

➡ **답 쓰기** 연필꽂이에 있는 연필과 색연필은 모두 ⬜ 자루입니다.

유형⁺1 ||||||||||||||||||||||||||||||||||||

공원에 비둘기 4마리가 있었는데 7마리가 더 날아왔습니다. 공원에 있는 비둘기는 모두 몇 마리일까요?

➡ **주어진 수에 ○표 하고, 구하는 것에 밑줄 치기**

처음에 있던 비둘기의 수: ⬜ 마리, 날아온 비둘기의 수: ⬜ 마리

➡ **문제 해결하기**

처음에 있던 비둘기의 수와 날아온 비둘기의 수를 (더합니다 , 뺍니다).

➡ **문제 풀기**

(공원에 있는 비둘기의 수)＝(처음에 있던 비둘기의 수)＋(날아온 비둘기의 수)

＝ ⬜ ＋ ⬜ ＝ ⬜ (마리)

➡ **답 쓰기** 공원에 있는 비둘기는 모두 ⬜ 마리입니다.

유형 2

지수는 딱지 (14)장을 접어서 동생에게 (5)장을 주었습니다. 남은 딱지는 몇 장일까요?

▶ **주어진 수에 ○표 하고, 구하는 것에 밑줄 치기**

지수가 접은 딱지의 수: **14** 장, 동생에게 준 딱지의 수: ⬛ 장

▶ **문제 해결하기**

지수가 접은 딱지의 수에서 동생에게 준 딱지의 수를 (더합니다 , 뺍니다).

▶ **문제 풀기**

(남은 딱지의 수)=(지수가 접은 딱지의 수)―(동생에게 준 딱지의 수)

= ⬛ ― ⬛ = ⬛ (장)

▶ **답 쓰기** 남은 딱지는 ⬛ 장입니다.

유형+ 2

감 따기 체험에서 연주는 감 12개를 땄고, 지훈이는 감 9개를 땄습니다. 연주는 지훈이보다 감을 몇 개 더 많이 땄을까요?

▶ **주어진 수에 ○표 하고, 구하는 것에 밑줄 치기**

연주가 딴 감의 수: ⬛ 개, 지훈이가 딴 감의 수: ⬛ 개

▶ **문제 해결하기**

연주가 딴 감의 수에서 지훈이가 딴 감의 수를 (더합니다 , 뺍니다).

▶ **문제 풀기**

(연주가 더 딴 감의 수)=(연주가 딴 감의 수)―(지훈이가 딴 감의 수)

= ⬛ ― ⬛ = ⬛ (개)

▶ **답 쓰기** 연주는 지훈이보다 감을 ⬛ 개 더 많이 땄습니다.

● ▨ 안에 알맞은 수를 써넣고, 답을 구하세요.

1 Drill

운동장에 축구공이 5개, 농구공이 8개 있습니다. 운동장에 있는 축구공과 농구공은 모두 몇 개일까요?

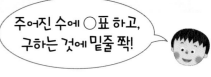
주어진 수에 ○표 하고, 구하는 것에 밑줄 짝!

풀이 (운동장에 있는 공의 수)=(축구공의 수)+(농구공의 수)

= ▨ + ▨ = ▨ (개)

답 _____ 개

2 Drill

하연이는 칭찬딱지를 지난주에 9장 받았고, 이번 주에는 지난주보다 7장 더 많이 받았습니다. 하연이가 이번 주에 받은 칭찬딱지는 몇 장일까요?

풀이 (하연이가 이번 주에 받은 칭찬딱지 수)

=(지난주에 받은 칭찬딱지 수)+(지난주보다 더 받은 칭찬딱지 수)

= ▨ + ▨ = ▨ (장)

답 _____ 장

3 Drill

재호는 파란색 구슬 13개와 빨간색 구슬 8개를 가지고 있습니다. 파란색 구슬은 빨간색 구슬보다 몇 개 더 많을까요?

풀이 (파란색과 빨간색 구슬 수의 차)=(파란색 구슬 수)−(빨간색 구슬 수)

= ▨ − ▨ = ▨ (개)

답 _____ 개

4 Drill

냉장고에 달걀 14개가 있었는데 오늘 아침 6개를 먹었습니다. 냉장고에 남은 달걀은 몇 개일까요?

풀이 (남은 달걀의 수)=(처음에 있던 달걀의 수)−(먹은 달걀의 수)

= ▨ − ▨ = ▨ (개)

답 _____ 개

● **서술형 문제를 읽고 풀이 과정과 답을 쓰세요.**

도전 1

정후는 빵집에서 소금빵 7개와 크림빵 4개를 샀습니다. 정후가 산 빵은 모두 몇 개일까요?

풀이

답 _____

도전 2

턱걸이를 준우는 5개 하고, 형우는 준우보다 7개 더 했습니다. 형우는 턱걸이를 몇 개 했을까요?

풀이

답 _____

도전 3

지연이의 언니는 지연이보다 4살 많습니다. 언니의 나이가 12살이라면 지연이의 나이는 몇 살일까요?

풀이

답 _____

도전 4

민재는 색종이로 미니카 15개, 팽이 7개를 접었습니다. 민재가 접은 미니카는 팽이보다 몇 개 더 많을까요?

풀이

답 _____

초등 1-2

❹ 덧셈과 뺄셈 (2)

01 이어 세기를 하여 두 수의 덧셈을 해 보세요.

(1)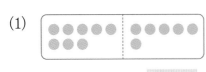

$8 + 6 =$

(2)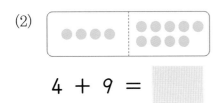

$4 + 9 =$

02 그림을 보고 두 수를 바꾸어 더해 보세요.

(1)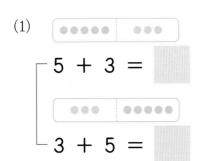

$5 + 3 =$

$3 + 5 =$

(2)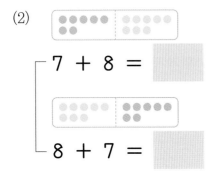

$7 + 8 =$

$8 + 7 =$

03 그림을 보고 뒤의 수를 가르기 하여 덧셈을 해 보세요.

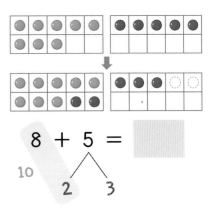

$8 + 5 =$

10   2   3

04 뒤의 수를 가르기 하여 덧셈을 해 보세요.

$7 + 6 =$

10

05 뒤의 수를 가르기 하여 덧셈을 해 보세요.

(1) $8 + 6 =$

(2) $9 + 2 =$

06 덧셈한 값이 가장 큰 것을 찾아 ○표 하세요.

9+6   8+7   7+9

(   ) (   ) (   )

07 그림을 보고 앞의 수를 가르기 하여 덧셈을 해 보세요.

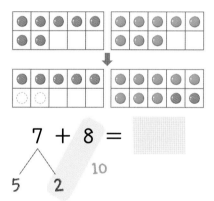

7 + 8 =

5   2   10

08 앞의 수를 가르기 하여 덧셈을 해 보세요.

9 + 9 =

10

09 앞의 수를 가르기 하여 덧셈을 해 보세요.

(1) 5 + 8 =

(2) 9 + 7 =

10 덧셈을 해 보세요.

(1) 6 + 7 =

(2) 5 + 9 =

(3) 8 + 3 =

(4) 7 + 7 =

(5) 9 + 4 =

11 식에 알맞게 ╱로 지우며 **뺄셈**을 해 보세요.

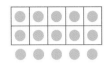

$$15 - 9 = \boxed{}$$

12 비교하여 **뺄셈**을 해 보세요.

$$13 - 7 = \boxed{}$$

13 그림을 보고 뒤의 수를 가르기 하여 **뺄셈**을 해 보세요.

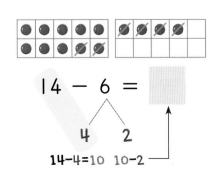

$$14 - 6 = \boxed{}$$

4   2

14−**4**=10 10−2

14 뒤의 수를 가르기 하여 **뺄셈**을 해 보세요.

(1) $15 - 8 = \boxed{}$

10

(2) $12 - 4 = \boxed{}$

10

15 뒤의 수를 가르기 하여 **뺄셈**을 해 보세요.

(1) $16 - 9 = \boxed{}$

(2) $14 - 7 = \boxed{}$

16 뺄셈한 값이 가장 큰 것을 찾아 ○표 하세요.

$$15-6 \qquad 15-7 \qquad 15-9$$

(   ) (   ) (   )

17 그림을 보고 앞의 수를 가르기 하여 뺄셈을 해 보세요.

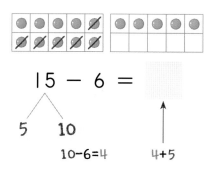

$$15 - 6 =$$

5   10

10-6=4   4+5

18 앞의 수를 가르기 하여 뺄셈을 해 보세요.

(1) $16 - 7 =$

(2) $13 - 9 =$

19 앞의 수를 가르기 하여 뺄셈을 해 보세요.

(1) $14 - 8 =$

(2) $12 - 7 =$

20 뺄셈을 해 보세요.

(1) $17 - 9 =$

(2) $15 - 7 =$

(3) $11 - 5 =$

(4) $12 - 6 =$

(5) $13 - 8 =$

1 그림을 보고 **뺄셈**을 해 보세요.

$$13 - 6 = $$

2 구슬은 모두 몇 개인지 식을 만들고 계산해 보세요.

 $+$  $=$

3 그림을 보고 안에 알맞은 수를 써 넣으세요.

$$8 + 6 = $$

     4

4 그림을 보고 안에 알맞은 수를 써 넣으세요.

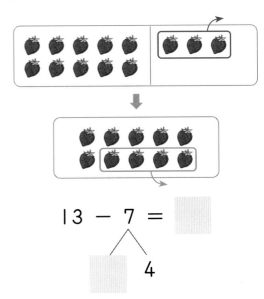

$$13 - 7 = $$

     4

5 그림을 보고 안에 알맞은 수를 써 넣으세요.

$$14 - 8 = $$

     10

6 계산을 하세요.

(1) $9 + 7 =$

(2) $15 - 8 =$

7 빈 곳에 알맞은 수를 써넣으세요.

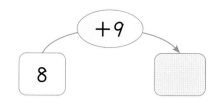

8 안에 알맞은 수를 써넣으세요.

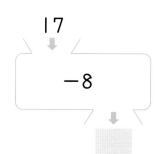

9 안에 알맞은 수를 써넣으세요.

$6 + 6 =$

$6 + 7 =$

$6 + 8 =$

$6 + 9 =$

더해지는 수가 같고, 더하는 수가 1씩 커지면 합은 ___ 씩 커집니다.

10 합이 같은 것끼리 선으로 이어 보세요.

$8 + 7$ •   • $6 + 5$

$5 + 6$ •   • $8 + 9$

$9 + 8$ •   • $7 + 8$

$7 + 9$ •   • $9 + 7$

11 빈칸에 알맞은 수를 써넣으세요.

11-5	11-6	11-7
6	5	
12-5	12-6	12-7
7	6	
13-5	13-6	13-7
8		
14-5	14-6	14-7

12 차가 8인 뺄셈식을 모두 찾아 ○표 하세요.

11-4   14-8   12-4

(   ) (   ) (   )

15-8   17-9   16-9

(   ) (   ) (   )

13 ▨ 안에 알맞은 수를 써넣으세요.

12 - ▨ = 5

13 - ▨ = 5

14 - ▨ = 5

14 계산 결과가 더 큰 것을 찾아 기호를 쓰세요.

㉠ 6+6   ㉡ 4+7

(   )

15 계산 결과가 가장 큰 것부터 차례로 기호를 쓰세요.

㉠ 11-5   ㉡ 12-3

㉢ 15-7   ㉣ 16-9

(   )

16 두 수의 합을 구한 후 그 합에 해당하는 글자를 찾아 쓰세요.

14	15	16	17	18
파	오	팅	이	달

$8 + 6 =$ ⬜ ➡ _____

$9 + 8 =$ ⬜ ➡ _____

$7 + 9 =$ ⬜ ➡ _____

17 ★에 알맞은 수를 구하세요.

$$5 + 4 = ●$$
$$● + 7 = ★$$

(   )

18 영호는 발표 붙임딱지 9장과 칭찬 붙임딱지 6장을 받았습니다. 영호가 받은 붙임딱지는 모두 몇 장일까요?

(   )장

19 ㉠과 ㉡에 알맞은 수의 합을 구하세요.

$$14 - 8 = ㉠$$
$$17 - 9 = ㉡$$

(   )

20 진수는 양손에 동전을 모두 13개 쥐고 있습니다. 왼손에 동전을 8개 쥐고 있다면, 오른손에 쥐고 있는 동전은 몇 개인지 풀이 과정을 쓰고 답을 구하세요.

풀이 _____

_____

_____

답 _____

memo

논리적 사고력과 창의적 문제해결력을 키워 주는
매스티안 교재 활용법!

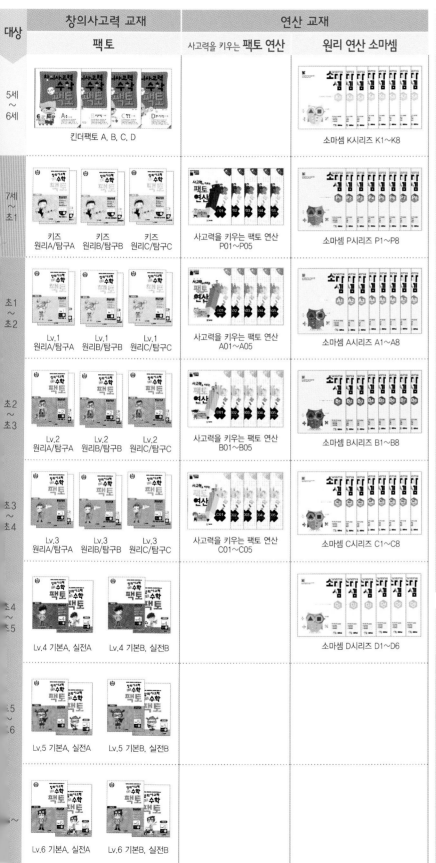

대상	창의사고력 교재	연산 교재	
	팩토	사고력을 키우는 **팩토 연산**	원리 연산 소마셈
5세~6세	킨더팩토 A, B, C, D		소마셈 K시리즈 K1~K8
7세~초1	키즈 원리A/탐구A · 키즈 원리B/탐구B · 키즈 원리C/탐구C	사고력을 키우는 팩토 연산 P01~P05	소마셈 P시리즈 P1~P8
초1~초2	Lv.1 원리A/탐구A · Lv.1 원리B/탐구B · Lv.1 원리C/탐구C	사고력을 키우는 팩토 연산 A01~A05	소마셈 A시리즈 A1~A8
초2~초3	Lv.2 원리A/탐구A · Lv.2 원리B/탐구B · Lv.2 원리C/탐구C	사고력을 키우는 팩토 연산 B01~B05	소마셈 B시리즈 B1~B8
초3~초4	Lv.3 원리A/탐구A · Lv.3 원리B/탐구B · Lv.3 원리C/탐구C	사고력을 키우는 팩토 연산 C01~C05	소마셈 C시리즈 C1~C8
초4~초5	Lv.4 기본A, 실전A · Lv.4 기본B, 실전B		소마셈 D시리즈 D1~D6
초5~초6	Lv.5 기본A, 실전A · Lv.5 기본B, 실전B		
초~	Lv.6 기본A, 실전A · Lv.6 기본B, 실전B		

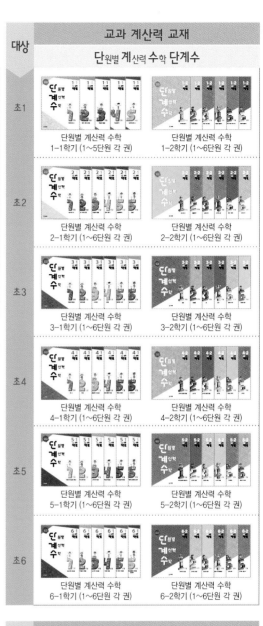

대상	교과 계산력 교재	
	단원별 **계산력 수학** 단계수	
초1	단원별 계산력 수학 1-1학기 (1~5단원 각 권)	단원별 계산력 수학 1-2학기 (1~6단원 각 권)
초2	단원별 계산력 수학 2-1학기 (1~6단원 각 권)	단원별 계산력 수학 2-2학기 (1~6단원 각 권)
초3	단원별 계산력 수학 3-1학기 (1~6단원 각 권)	단원별 계산력 수학 3-2학기 (1~6단원 각 권)
초4	단원별 계산력 수학 4-1학기 (1~6단원 각 권)	단원별 계산력 수학 4-2학기 (1~6단원 각 권)
초5	단원별 계산력 수학 5-1학기 (1~6단원 각 권)	단원별 계산력 수학 5-2학기 (1~6단원 각 권)
초6	단원별 계산력 수학 6-1학기 (1~6단원 각 권)	단원별 계산력 수학 6-2학기 (1~6단원 각 권)

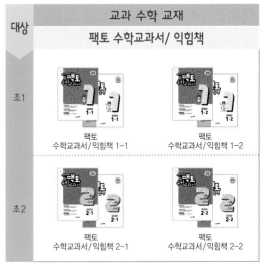

대상	교과 수학 교재	
	팩토 수학교과서/ 익힘책	
초1	팩토 수학교과서/익힘책 1-1	팩토 수학교과서/익힘책 1-2
초2	팩토 수학교과서/익힘책 2-1	팩토 수학교과서/익힘책 2-2

단계수 학습 순서

매일 학습

단원별로 꼭 알아야 할 개념만 쏙쏙 학습하고,
다양한 연산 문제를 통해 필수 개념을 숙달하여
계산력을 쑥쑥 키울 수 있습니다.

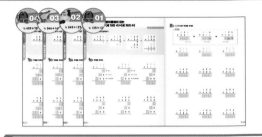

도전! 응용문제

필수 개념을 활용한 **응용** 문제 또는 **서술형** 문제
를 통해 사고력과 문제해결력을 기를 수 있습
니다.

형성 평가

단원의 **복습 단계**로 문제를 풀면서 학습한 내용을
잘 알고 있는지 다시 한 번 확인할 수 있습니다.

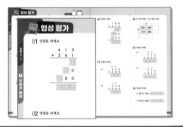

단원 평가

단원의 **마무리 학습**으로 학교 시험에 자주 나오는
문제 유형을 통해서 수시 평가 등 학교 시험에
대비할 수 있습니다.

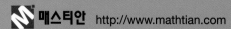 매스티안 http://www.mathtian.com

자율안전확인신고필증번호: B361H200-4001
1. 주소 : 06153 서울특별시 강남구 봉은사로 442 (삼성동)
2. 문의전화 : 1588-6066
3. 제조국 : 대한민국
4. 사용연령 : 8세 이상
※ KC마크는 이 제품이 공통안전기준에 적합하였음을 의미합니다.

⚠ 주의
종이, 모서리에 다칠 수
있으니 주의하세요!

초등학교	반	번
이름		

1-2

초등 수학

팩토

단원별

계산력

수학

5 단원

규칙 찾기

매스티안

팩토는 자유롭게 자신감있게 창의적으로 생각하는 주니어수학자입니다.

단계별산력수학

펴낸 곳 (주)타임교육C&P   **펴낸이** 이길호   **지은이** 매스티안R&D센터

주소 06153 서울특별시 강남구 봉은사로 442 (삼성동)   **문의전화** 1588.6066

팩토카페 http://cafe.naver.com/factos   **홈페이지** http://www.mathtian.com

MW2405

생각이 자유로운 사람들! 매스티안R&D센터

매스티안R&D센터의 논리적 사고력과 창의적 문제해결력을 키우는 수학 콘텐츠는 국내외 수많은 교육 현장에서 그 우수성을 높이 평가받고 있습니다.
매스티안R&D센터는 여기에 안주하지 않고 앞으로도 학생, 교사, 학부모 모두가 행복한 수학 시간을 만들 수 있도록 노력하겠습니다.

매스티안 공식 홈페이지 ⋯ (http://www.mathtian.com)

· 매스티안의 다양한 출간 교재 소개

· 출간 교재와 관련된 학습 자료(보충 학습지, 활동지 등) 제공

· 출간 교재와 관련된 평가 시험 및 분석 제공

매스티안 공식 카페 ⋯ 팩토 (http://cafe.naver.com/factos)

· 창의사고력 수학 팩토 무료 동영상 강의 제공

· 출간 교재에 관한 질문 및 답변

· 영재교육원 대비 자료(기출 문제, 예상 문제) 제공

· 초등 수학 비법 및 Q&A

1-2

초등 수학
팩토

단원별 계산력 수학

5단원

규칙 찾기

매스티안

5. 규칙 찾기

· 물체, 무늬, 수 배열에서 규칙 찾기
· 물체, 무늬, 수 배열에서 규칙 만들기

6. 규칙 찾기
· 덧셈표, 곱셈표에서 규칙 찾기
· 여러 가지 무늬, 쌓은 모양, 생활에서 규칙 찾기

3. 규칙과 대응
· 대응 관계
· 대응 관계를 식으로 나타내기

6. 규칙 찾기
· 수 배열표에서 수의 규칙 찾기
· 변화하는 모양에서 규칙 찾기
· 계산식의 배열에서 규칙 찾기

5 규칙 찾기

Teaching Guide

규칙 찾기 단원의 특성상 규칙을 표현하는 방법이 하나가 아니라 여러 개 있을 수 있습니다.

예를 들어 △○○△○○△○○……과 같은 패턴이 있는 경우 "△○○가 반복돼요."라고 규칙을 표현할 수도 있고, "△ 사이에 ○가 2개씩 있어요."라고 규칙을 표현할 수도 있습니다.

규칙의 표현 방법보다 규칙을 찾는 것이 중요하므로 생활 속에서도 찾을 수 있는 규칙들을 많이 찾아보게 하고 다양하게 표현하는 활동을 통해 규칙에 대한 이해를 돕도록 합니다.

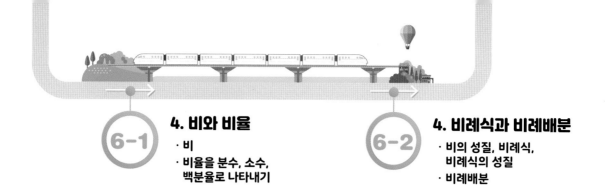

4. 비와 비율
6-1
· 비
· 비율을 분수, 소수, 백분율로 나타내기

4. 비례식과 비례배분
6-2
· 비의 성질, 비례식, 비례식의 성질
· 비례배분

중학 1-1
좌표평면과 그래프

중학 1-1
정비례와 반비례

중학 2-1
일차함수와 그래프

중학 3-1
이차함수와 그래프

공부한 날짜

1일차 규칙 찾기
월   일

2일차 규칙 만들기
월   일

3일차 수 배열표에서 규칙 찾기
월   일

4일차 응용 문제
월   일

5일차 형성 평가
월   일

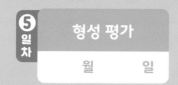

6일차 단원 평가
월   일

🌰 **반복되는 부분 찾기**

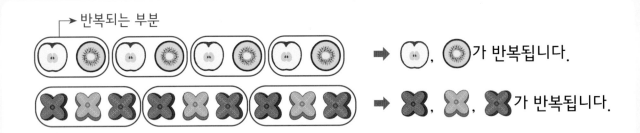

① 반복되는 부분을 찾아 ⬭로 묶고, **?** 안에 들어갈 알맞은 그림에 ◯표 하세요.

2 반복되는 부분을 찾아 /로 표시하고, 안에 알맞게 써넣어 규칙을 완성하세요.

규칙 하마 – 가 반복됩니다.

규칙 귤 – 가 반복됩니다.

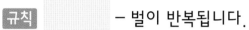

규칙 – 벌이 반복됩니다.

규칙 – 야구공이 반복됩니다.

규칙 동그라미 – – 가 반복됩니다.

규칙 빨간색 – – 별 모양이 반복됩니다.

3 규칙을 찾아 ? 안에 들어갈 알맞은 모양에 ◯표 하세요.

(, 🦉)

(🐟 , 🐡)

(👕 , 🩳)

(🍊 , 🍎)

(🧁 , 🍪)

4 규칙에 따라 빈칸에 알맞게 색칠해 보세요.

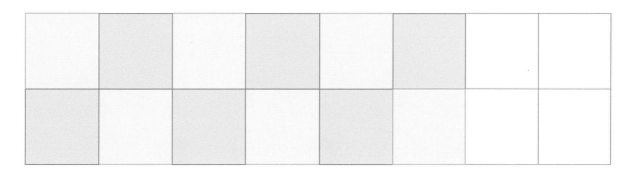

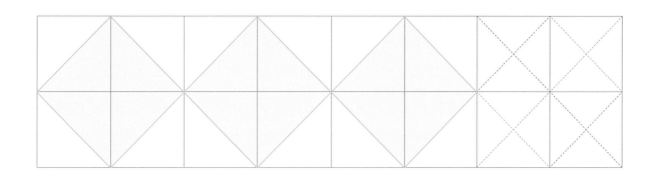

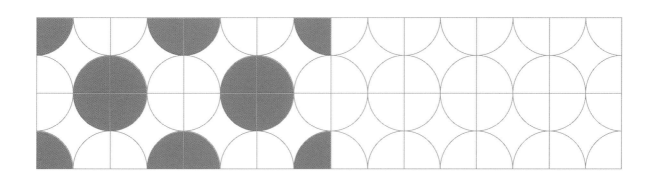

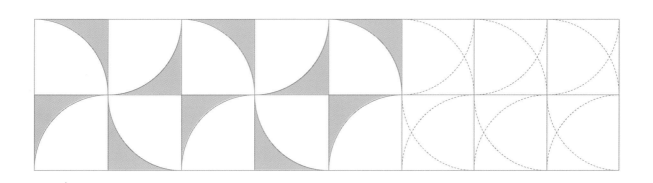

말로 표현하기 어려운 규칙을 수로 나타낼 수 있습니다.

①	②	①	②	①	②

 1 수로 나타내어 규칙을 알아보려고 합니다. ◯ 안에 알맞은 수를 쓰고, ? 안에 들어갈 알맞은 그림에 ◯표 하세요.

1	1	2	1	1	2	1		

        ?

(,)

1	2	2	1	2				

     ?

(,)

1	2	1	1	2				

     ?

(, )

2 규칙을 여러 가지 방법으로 나타내고, ? 안에 들어갈 알맞은 그림에 ○표 하세요.

3 주어진 모양을 규칙적으로 나열하여 나만의 무늬를 만들어 보세요.

보기

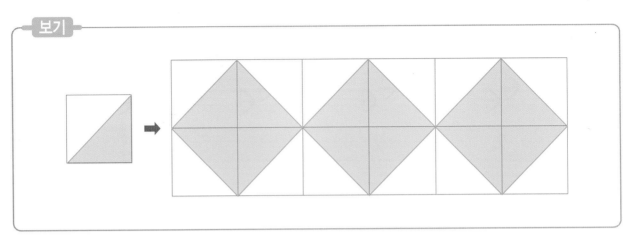

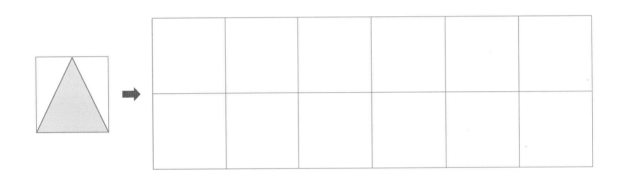

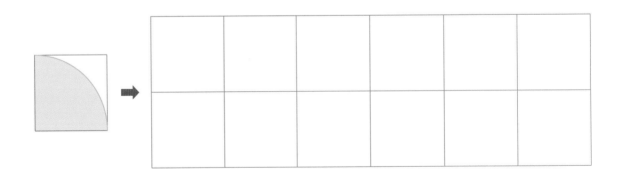

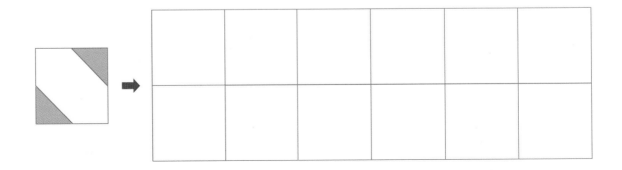

4 주어진 수 카드를 사용하여 규칙을 만들어 보세요.

1	2	3	4	5	6
7	8	9	10	11	12

보기

| 5 | 7 | 5 | 7 | 5 | 7 | ➡ | 5와 7이 반복됩니다. |

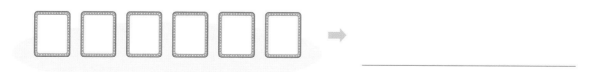

03 수 배열표에서 규칙 찾기

정답 36쪽

반복되는 부분

반복되는 규칙 6 — 9 | 6 — 9 | 6 — 9 | 6 — 9

규칙 6, 9가 반복됩니다.

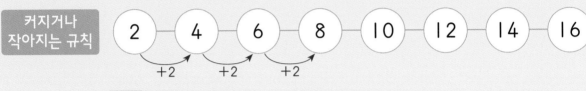

커지거나 작아지는 규칙 2 — 4 — 6 — 8 — 10 — 12 — 14 — 16
+2 +2 +2

규칙 2부터 시작하여 2씩 커집니다.

① 규칙에 따라 빈 곳에 알맞은 수를 써넣으세요.

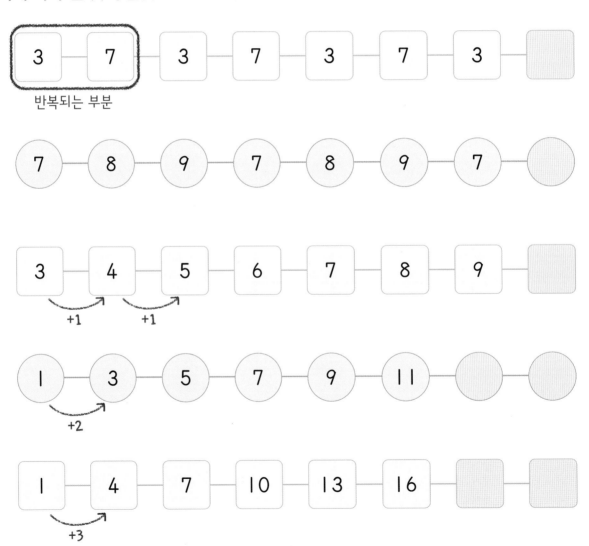

3 — 7 | 3 — 7 — 3 — 7 — 3 — ☐
반복되는 부분

7 — 8 — 9 — 7 — 8 — 9 — 7 — ◯

3 — 4 — 5 — 6 — 7 — 8 — 9 — ☐
+1 +1

1 — 3 — 5 — 7 — 9 — 11 — ◯ — ◯
+2

1 — 4 — 7 — 10 — 13 — 16 — ☐ — ☐
+3

② **규칙을 찾아 빈 곳에 알맞은 수를 써넣고, 규칙을 완성하세요.**

7 — 29 — 7 — 29 — 7 — 29 — 7 — ☐

규칙 **7** , ☐ 가 반복됩니다.

13 — 25 — 17 — 13 — 25 — 17 — 13 — ☐

규칙 **13** , ☐ , ☐ 이 반복됩니다.

10 — 11 — 12 — 13 — 14 — 15 — 16 — ☐

+1

규칙 10부터 시작하여 ☐ 씩 커집니다.

25 — 24 — 23 — 22 — 21 — 20 — 19 — ☐

-1

규칙 25부터 시작하여 ☐ 씩 작아집니다.

20 — 25 — 30 — 35 — 40 — 45 — ☐ — ☐

규칙 20부터 시작하여 ☐ 씩 (커집니다 , 작아집니다).

90 — 80 — 70 — 60 — ☐ — 40 — 30 — ☐

규칙 90부터 시작하여 ☐ 씩 (커집니다 , 작아집니다).

3 수 배열표에서 규칙을 찾아 ▨ 안에 알맞은 수를 써넣고, 규칙을 완성하세요.

1	2		4	5	6	7		9	10
11		13	14	15	16	17	18	19	
	22	23	24	25	26	27	28		30
31	32	33	34	35	36	37	38	39	40
41	42	43	44	45	46	47	48	49	50
51	52	53	54	55	56	57	58	59	60
61	62	63	64	65	66	67	68	69	
71	72	73	74	75	76	77	78		80
81		83	84	85	86	87	88	89	
	92	93		95	96	97	98		100

▨ 에 있는 수의 규칙

◎ 41부터 시작하여 오른쪽으로 ▨ 씩 (커지는 , 작아지는) 규칙입니다.

◎ 50부터 시작하여 왼쪽으로 ▨ 씩 (커지는 , 작아지는) 규칙입니다.

▨ 에 있는 수의 규칙

◎ 6부터 시작하여 아래쪽으로 ▨ 씩 (커지는 , 작아지는) 규칙입니다.

◎ 96부터 시작하여 위쪽으로 ▨ 씩 (커지는 , 작아지는) 규칙입니다.

4 규칙을 찾아 수 배열표에 색칠하고, 규칙을 완성하세요. 준비물 색연필

```
  1     2     3
┌─→┐ ┌─→┐ ┌─→┐
```

11	12	13	14	15	16	17	18	19	20
21	22	23	24	25	26	27	28	29	30
31	32	33	34	35	36	37	38	39	40

규칙 11부터 시작하여 　　씩 뛰어 세는 규칙입니다.

41	42	43	44	45	46	47	48	49	50
51	52	53	54	55	56	57	58	59	60
61	62	63	64	65	66	67	68	69	70

규칙 42부터 시작하여 　　씩 뛰어 세는 규칙입니다.

71	72	73	74	75	76	77	78	79	80
81	82	83	84	85	86	87	88	89	90
91	92	93	94	95	96	97	98	99	100

규칙 　　부터 시작하여 　　씩 뛰어 세는 규칙입니다.

61	62	63	64	65	66	67	68	69	70
71	72	73	74	75	76	77	78	79	80
81	82	83	84	85	86	87	88	89	90

규칙 　　부터 시작하여 　　씩 뛰어 세는 규칙입니다.

초등 1-2

❺ 규칙 찾기

수를 써서 관찰하면 규칙을 쉽게 찾을 수 있습니다.

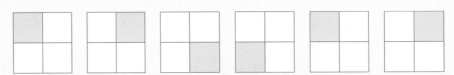

$\begin{smallmatrix} 1 & 2 \\ 4 & 3 \end{smallmatrix}$ 라고 할 때, 색칠한 부분이 1 → 2 → 3 → 4의 순서를 반복하면서 움직입니다.

➡

응용 ❶ 반복되는 규칙을 찾아 █ 안에 알맞은 수를 써넣으세요.

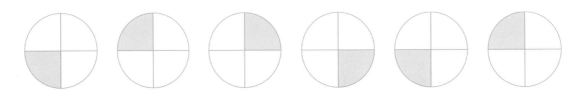

규칙 $\begin{smallmatrix} 2 & 3 \\ 1 & 4 \end{smallmatrix}$ 라고 할 때, 색칠한 부분이 █ → █ → █ → █ 의 순서를 반복하면서 움직입니다.

규칙 $\begin{smallmatrix} 3 & 4 & 5 \\ 2 & 1 & 6 \end{smallmatrix}$ 이라고 할 때, 색칠한 부분이 █ → █ → █ 의 순서를 반복하면서 움직입니다.

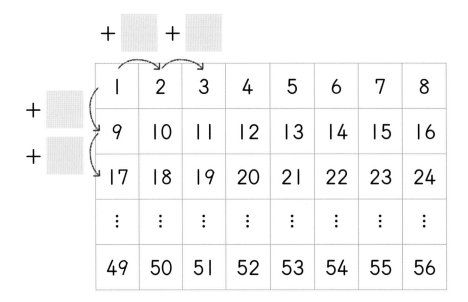

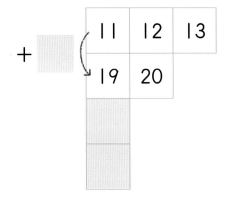

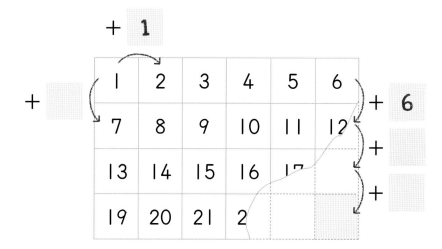

1	2	3	4	5	6
7	8	9	10	11	12
13	14	15	16	17	
19	20	21	2		

규칙 오른쪽 방향으로 █ 씩 커지고, 아래쪽 방향으로 █ 씩 커집니다.

11	12	13			
17	18	19			
23	24	25	26	27	28
29	30	31	32	33	34

규칙 오른쪽 방향으로 █ 씩 커지고, 아래쪽 방향으로 █ 씩 커집니다.

10	11	12	13	14	15	16
17	18	19	20	21	22	23
24	25			28	29	30
31	3				36	37

규칙 오른쪽 방향으로 █ 씩 커지고, 아래쪽 방향으로 █ 씩 커집니다.

정답 38쪽

초등 1-2

❺ 규칙 찾기

[01~02] 반복되는 부분을 찾아 ◯로 묶고, ? 안에 들어갈 알맞은 그림에 ◯표 하세요.

01

(🍎 , 🍏)

02

(🍓 , 🍈 , 🍊)

03 반복되는 부분을 찾아 /로 표시하고, ▨ 안에 알맞게 써넣어 규칙을 완성하세요.

규칙 강아지 − [   ] − [   ] 가

반복됩니다.

[04~05] 규칙을 찾아 ? 안에 들어갈 알맞은 그림에 ◯표 하세요.

04

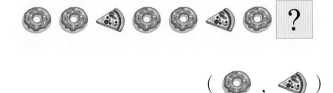

(🍩 , 🍕)

05

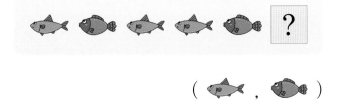

(🐟 , 🐟)

06 규칙에 따라 빈칸에 알맞게 색칠해 보세요.

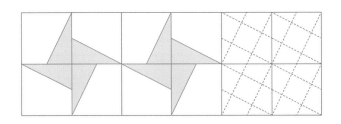

07 규칙에 따라 빈 곳에 알맞은 수를 써 넣으세요.

(1)

6 — 8 — 6 — 8 — 6 — ◯

(2)

1 — 4 — 7 — 10 — 13 — ☐

[08~09] 규칙을 찾아 빈 곳에 알맞은 수를 써넣고, 규칙을 완성하세요.

08

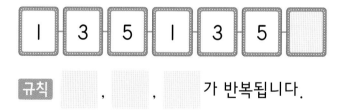

1 3 5 1 3 5 ☐

규칙 ☐ , ☐ , ☐ 가 반복됩니다.

09

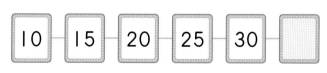

10 15 20 25 30 ☐

규칙 10부터 시작하여 ☐ 씩

(커집니다 , 작아집니다).

10 수 배열표에서 규칙을 찾아 알맞게 답하세요.

31	32	33	34	35	36	37
38	39	40	41	42	43	44
45	46	47	48	49	50	51
52	53	54	55	56	57	58

(1) ▨ 에 있는 수들은 45부터 시작하여

오른쪽으로 ☐ 씩

(커지는 , 작아지는) 규칙입니다.

(2) ▨ 에 있는 수들은 35부터 시작하여

아래쪽으로 ☐ 씩

(커지는 , 작아지는) 규칙입니다.

11 규칙을 찾아 수 배열표에 색칠하고, 규칙을 완성하세요.

60	61	62	63	64	65	66	67
68	69	70	71	72	73	74	75
76	77	78	79	80	81	82	83

규칙 60부터 시작하여 ☐ 씩 뛰어 세는

규칙입니다.

12 그림을 수로 나타내어 규칙을 알아 보려고 합니다. ◯ 안에 알맞은 수를 쓰고, 빈 곳에 들어갈 알맞은 그림에 ◯표 하세요.

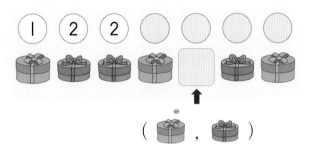

13 규칙을 여러 가지 방법으로 나타내고, **?** 안에 들어갈 알맞은 그림에 ◯표 하세요.

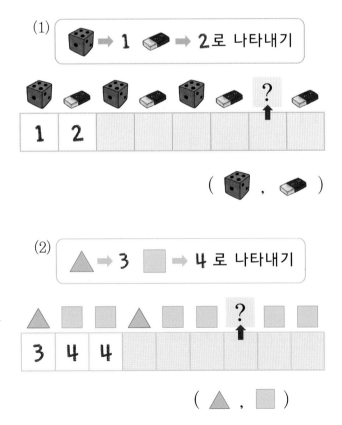

14 주어진 조각을 규칙적으로 나열하여 나만의 무늬를 만들어 보세요.

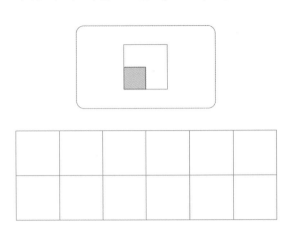

15 주어진 수 카드를 사용하여 규칙을 만들어 보세요.

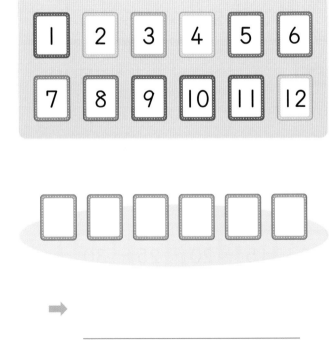

16 규칙에 따라 빈 곳에 알맞은 수를 써넣으세요.

➡️ 이라고 할 때, 색칠한 부분이

⬚ → ⬚ → ⬚ 의 순서를

반복하면서 움직입니다.

[17~18] 규칙을 찾아 마지막 모양을 완성해 보세요.

17

◉ ◉ ◉ ◉ ◉

18

◻ ◻ ◻ ◻ ◻

19 수 배열표에서 규칙을 찾아 ⬚ 안에 알맞은 수를 써넣으세요.

+ ⬚

+ ⬚

1	2	3	4	5	6
7	8	9	10	11	12
13	14	15	16	17	18
⋮	⋮	⋮	⋮	⋮	⋮
31	32	33	34	35	36

	15		
	21		
		28	29

20 수 배열표의 규칙을 찾아 ⬚ 안에 알맞은 수를 써넣으세요.

10	11	12		
15	16	17		
20	21	22		
25	26	27	28	29

규칙 오른쪽 방향으로 ⬚ 씩 커지고,

아래쪽 방향으로 ⬚ 씩 커집니다.

1 규칙을 찾아 ▨ 안에 과일 이름을 써 넣으세요.

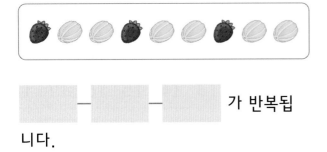

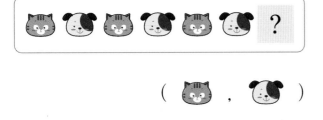

가 반복됩니다.

2 규칙에 따라 ? 안에 들어갈 알맞은 동물에 ◯표 하세요.

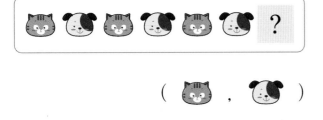

(🐱 , 🐶)

3 ■, ▲, ★이 반복되는 규칙으로 늘어 놓을 때 ▲가 들어갈 곳의 기호를 모두 쓰세요.

( )

4 ? 안에 알맞은 모양의 물건을 찾아 기호를 쓰세요.

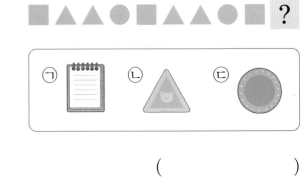

( )

5 규칙에 따라 알맞게 색칠하세요.

(1)

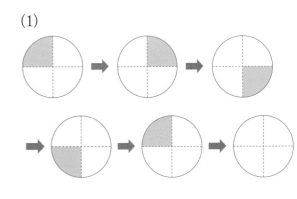

(2)

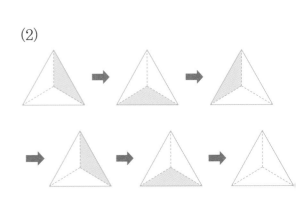

6 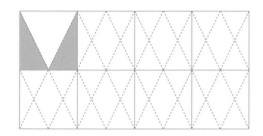 를 이용하여 규칙을 만들어 무늬를 꾸며 보세요.

7 규칙에 따라 빈 곳에 알맞은 수를 써넣으세요.

(1) | 33 | 37 | 41 | | |

(2) | 9 | 4 | 9 | 4 | | |

8 5씩 작아지는 규칙으로 수를 늘어놓으려고 합니다. ㉠에 알맞은 수를 구하세요.

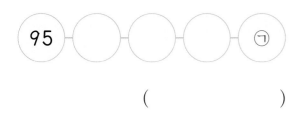

(   )

9 수 배열표를 보고 물음에 답하세요.

10	11	12	13	14	15	16	17
18	19	20	21	22	23	24	25
26	27	28	29	30	31	32	33
34	35	36	37	38	39	40	41

(1) 색칠한 수들은 어떤 규칙이 있을까요?

규칙   씩 커지는 규칙입니다.

(2) 색칠한 규칙에 따라 수 배열표에 색칠하세요.

10 수 배열표에서 색칠한 칸에 들어가는 수들과 같은 규칙이 되도록 ◯ 안에 알맞은 수를 써넣으세요.

51	52		54		56	57
			61			
	66		68			
72			75			78

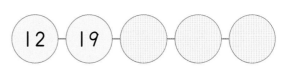

11 규칙을 수로 나타내려고 합니다. ◯ 안에 알맞은 수를 써넣으세요.

➡

12 규칙을 그림으로 나타내려고 합니다. ▨ 안에 알맞게 그려 넣으세요.

➡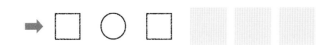

13 규칙을 바르게 말한 사람은 누구일까요?

은지: 지우개, 연필이 반복되는 규칙이야.
경호: 지우개, 연필, 지우개가 반복되는 규칙이야.

(   )

14 규칙에 따라 빈칸에 알맞은 그림을 그려 넣으세요.

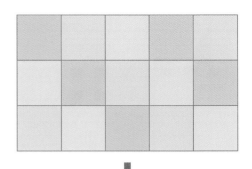

⬇

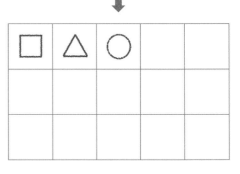

15 내가 정한 규칙에 따라 수를 늘어놓고, 규칙을 써 보세요.

규칙

_____

16 주어진 모양을 규칙적으로 나열하여 나만의 무늬를 만들어 보세요.

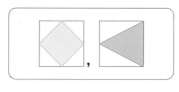

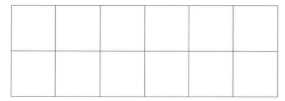

17 규칙을 찾아 모양을 완성하세요.

18 수 배열표의 일부분입니다. 규칙을 찾아 빈칸에 알맞은 수를 써넣으세요.

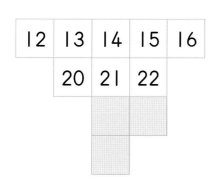

19 수 배열표의 일부분이 찢어졌습니다. ★에 알맞은 수를 구하세요.

11	12	13			16
17	18			21	22
				★	

(   )

20 규칙에 따라 바둑돌을 늘어놓을 때 열째 번에 놓이는 바둑돌은 무슨 색인지 쓰세요.

(   )

memo

논리적 사고력과 창의적 문제해결력을 키워 주는
매스티안 교재 활용법!

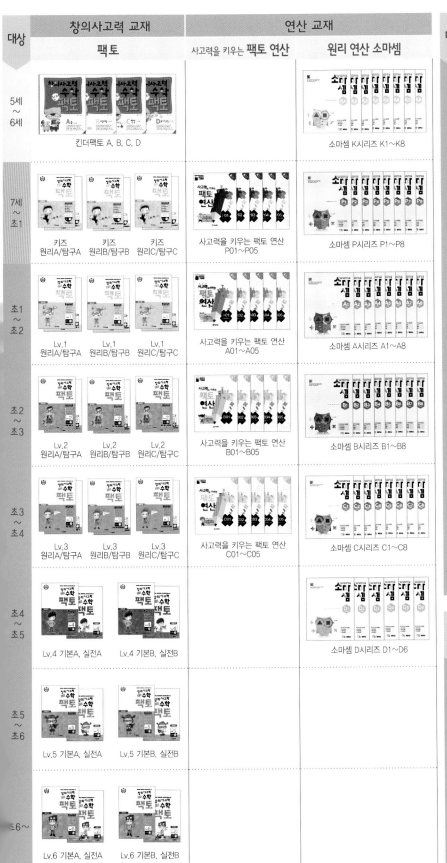

대상	창의사고력 교재 팩토	연산 교재	
		사고력을 키우는 **팩토 연산**	원리 연산 소마셈
5세~6세	킨더팩토 A, B, C, D		소마셈 K시리즈 K1~K8
7세~초1	키즈 원리A/탐구A, 키즈 원리B/탐구B, 키즈 원리C/탐구C	사고력을 키우는 팩토 연산 P01~P05	소마셈 P시리즈 P1~P8
초1~초2	Lv.1 원리A/탐구A, Lv.1 원리B/탐구B, Lv.1 원리C/탐구C	사고력을 키우는 팩토 연산 A01~A05	소마셈 A시리즈 A1~A8
초2~초3	Lv.2 원리A/탐구A, Lv.2 원리B/탐구B, Lv.2 원리C/탐구C	사고력을 키우는 팩토 연산 B01~B05	소마셈 B시리즈 B1~B8
초3~초4	Lv.3 원리A/탐구A, Lv.3 원리B/탐구B, Lv.3 원리C/탐구C	사고력을 키우는 팩토 연산 C01~C05	소마셈 C시리즈 C1~C8
초4~초5	Lv.4 기본A, 실전A, Lv.4 기본B, 실전B		소마셈 D시리즈 D1~D6
초5~초6	Lv.5 기본A, 실전A, Lv.5 기본B, 실전B		
초6~	Lv.6 기본A, 실전A, Lv.6 기본B, 실전B		

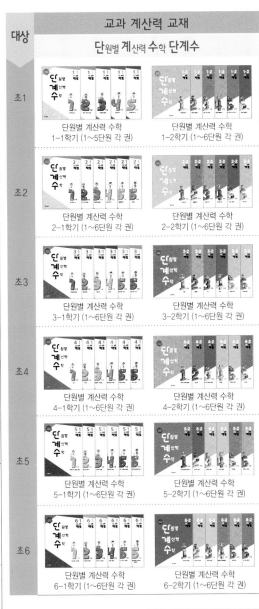

대상	교과 계산력 교재 단원별 계산력 수학 단계수	
초1	단원별 계산력 수학 1-1학기 (1~5단원 각 권)	단원별 계산력 수학 1-2학기 (1~6단원 각 권)
초2	단원별 계산력 수학 2-1학기 (1~6단원 각 권)	단원별 계산력 수학 2-2학기 (1~6단원 각 권)
초3	단원별 계산력 수학 3-1학기 (1~6단원 각 권)	단원별 계산력 수학 3-2학기 (1~6단원 각 권)
초4	단원별 계산력 수학 4-1학기 (1~6단원 각 권)	단원별 계산력 수학 4-2학기 (1~6단원 각 권)
초5	단원별 계산력 수학 5-1학기 (1~6단원 각 권)	단원별 계산력 수학 5-2학기 (1~6단원 각 권)
초6	단원별 계산력 수학 6-1학기 (1~6단원 각 권)	단원별 계산력 수학 6-2학기 (1~6단원 각 권)

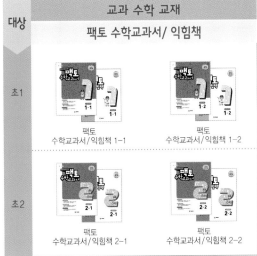

대상	교과 수학 교재 팩토 수학교과서/ 익힘책	
초1	팩토 수학교과서/익힘책 1-1	팩토 수학교과서/익힘책 1-2
초2	팩토 수학교과서/익힘책 2-1	팩토 수학교과서/익힘책 2-2

단계수 학습 순서

매일 학습

단원별로 꼭 알아야 할 개념만 쏙쏙 학습하고,
다양한 연산 문제를 통해 필수 개념을 숙달하여
계산력을 쑥쑥 키울 수 있습니다.

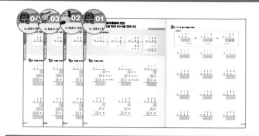

도전! 응용문제

필수 개념을 활용한 **응용** 문제 또는 **서술형** 문제
를 통해 사고력과 문제해결력을 기를 수 있습
니다.

형성 평가

단원의 **복습 단계**로 문제를 풀면서 학습한 내용을
잘 알고 있는지 다시 한 번 확인할 수 있습니다.

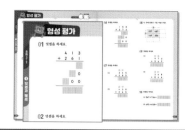

단원 평가

단원의 **마무리 학습**으로 학교 시험에 자주 나오는
문제 유형을 통해서 수시 평가 등 학교 시험에
대비할 수 있습니다.

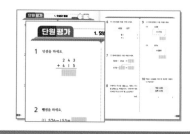

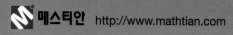 매스티안 http://www.mathtian.com

 KC

자율안전확인신고필증번호 : B361H200-4001
1. 주소 : 06153 서울특별시 강남구 봉은사로 442 (삼성동)
2. 문의전화 : 1588-6066
3. 제조국 : 대한민국
4. 사용연령 : 8세 이상
※ KC마크는 이 제품이 공통안전기준에 적합하였음을 의미합니다.

 ⚠ 주의

종이, 모서리에 다칠 수
있으니 주의하세요!

	초등학교	반	번
이름			

1-2
초등 수학
팩토

단원별 계산력 수학

6 단원

덧셈과 뺄셈(3)

매스티안

팩토는 자유롭게 자신감있게 창의적으로 생각하는 주니어 수학자입니다.

단계별 산력수학

펴낸 곳 (주)타임교육C&P   **펴낸이** 이길호   **지은이** 매스티안R&D센터

주소 06153 서울특별시 강남구 봉은사로 442 (삼성동)   **문의전화** 1588.6066

팩토카페 http://cafe.naver.com/factos   **홈페이지** http://www.mathtian.com

※ 이 책의 모든 내용과 삽화에 대한 저작권은 (주)타임교육C&P에 있으므로 무단 복제와 전송을 금합니다.

※ 정답과 풀이는 온라인 팩토카페(http://cafe.naver.com/factos)를 통해서도 확인할 수 있습니다.

MW2405

생각이 자유로운 사람들! 매스티안R&D센터

매스티안R&D센터의 논리적 사고력과 창의적 문제해결력을 키우는 수학 콘텐츠는 국내외 수많은 교육 현장에서 그 우수성을 높이 평가받고 있습니다.
매스티안R&D센터는 여기에 안주하지 않고 앞으로도 학생, 교사, 학부모 모두가 행복한 수학 시간을 만들 수 있도록 노력하겠습니다.

매스티안 공식 홈페이지 ⋯ (http://www.mathtian.com)

· 매스티안의 다양한 출간 교재 소개

· 출간 교재와 관련된 학습 자료(보충 학습지, 활동지 등) 제공

· 출간 교재와 관련된 평가 시험 및 분석 제공

매스티안 공식 카페 ⋯ 팩토 (http://cafe.naver.com/factos)

· 창의사고력 수학 팩토 무료 동영상 강의 제공

· 출간 교재에 관한 질문 및 답변

· 영재교육원 대비 자료(기출 문제, 예상 문제) 제공

· 초등 수학 비법 및 Q&A

1-2

초등 수학
팩토

단원별
계산력
수학

6 단원

덧셈과 뺄셈(3)

매스티안

6 덧셈과 뺄셈 (3)

Teaching Guide

이 단원은 앞으로 배우게 될 더 큰 수의 덧셈과 뺄셈의 기초가 됨은 물론이고, 덧셈과 뺄셈의 형식화에 밑바탕이 되므로 중요합니다. 덧셈과 뺄셈을 식으로만 기계적으로 계산하는 연산 연습을 하기에 앞서 '더한다', '합한다', '~보다 큰 수', '~보다 작은 수', '뺀다', '덜어낸다', '합', '차' 등의 일상용어를 사용하여 덧셈과 뺄셈의 의미에 친숙하도록 지도합니다. 일상생활에서 덧셈이 필요한 상황은 첨가와 합병의 두 가지 상황으로 구분할 수 있고, 뺄셈이 필요한 상황은 제거와 비교의 두 가지 상황으로 구분할 수 있습니다. 이러한 덧셈 상황과 뺄셈 상황을 확실하게 이해한다면 덧셈과 뺄셈의 문장제 문제를 해결하는 데 도움이 됩니다.

3. 덧셈과 뺄셈

· 두 자리 수의 덧셈과 뺄셈
· 세 수의 계산

2-1

1. 덧셈과 뺄셈

· 세 자리 수의 덧셈과 뺄셈

3-1

1. 자연수의 혼합 계산

· 괄호가 없을 때와 있을 때의 덧셈, 뺄셈, 곱셈, 나눗셈의 혼합 계산

5-1

중학 1-1

정수의 계산

3-2

1. 곱셈

(세 자리 수)×(한 자리 수)
(두 자리 수)×(두 자리 수)

3-2

2. 나눗셈

· (두 자리 수)÷(한 자리 수)
· (세 자리 수)÷(한 자리 수)

4-1

3. 곱셈과 나눗셈

· (세 자리 수)×(두 자리 수)
· (두 자리 수)÷(두 자리 수)
· (세 자리 수)÷(두 자리 수)

공부한 날짜

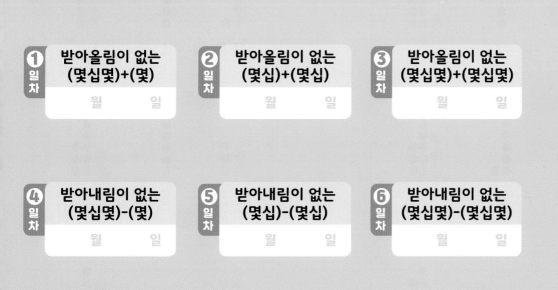

❶ 일차 받아올림이 없는 (몇십몇)+(몇)
월 일

❷ 일차 받아올림이 없는 (몇십)+(몇십)
월 일

❸ 일차 받아올림이 없는 (몇십몇)+(몇십몇)
월 일

❹ 일차 받아내림이 없는 (몇십몇)-(몇)
월 일

❺ 일차 받아내림이 없는 (몇십)-(몇십)
월 일

❻ 일차 받아내림이 없는 (몇십몇)-(몇십몇)
월 일

❼ 일차 응용 문제
월 일

❽ 일차 형성 평가
월 일

❾ 일차 단원 평가
월 일

참 잘했어요!
잘했어 최고야!

초등 1-2

❻ 덧셈과 뺄셈 (3)

🌰 34+2 알아보기

```
    3 4        3 4        3 4        3 4
  +   2      +   2      +   2      +   2
  ─────      ─────      ─────      ─────
               6          6          6
                        3 0        3 0
                                   ─────
                                   3 6
```

 **그림을 보고 ▨ 안에 알맞은 수를 써넣으세요.**

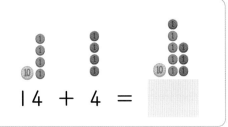

14 + 4 =

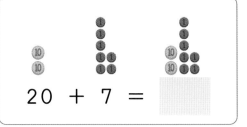

20 + 7 =

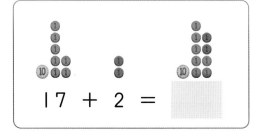

17 + 2 =

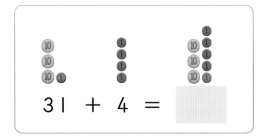

31 + 4 =

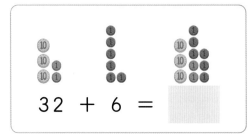

32 + 6 =

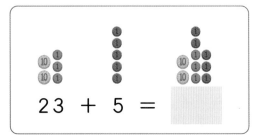

23 + 5 =

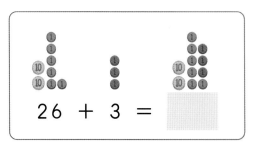

26 + 3 =

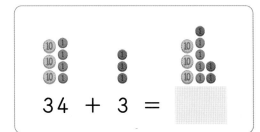

34 + 3 =

② 보기 와 같이 덧셈을 해 보세요.

```
  2 3
+   5
─────
  2 8
```

```
  8 7
+   2
─────
```

```
    3
+ 9 1
─────
```

```
  6 5
+   3
─────
```

```
  4 3
+   6
─────
```

```
    4
+ 5 2
─────
```

```
    3
+ 7 4
─────
```

```
  8 5
+   4
─────
```

```
  3 7
+   1
─────
```

```
  2 3
+   5
─────
```

```
    2
+ 4 5
─────
```

```
  1 3
+   3
─────
```

```
  3 3
+   1
─────
```

```
  7 3
+   2
─────
```

```
  4 1
+   6
─────
```

보기

$62+7=$ ⬛ ➡ $62+7=$ ⬛ 9 ➡ $62+7=$ 6 9

$53+5=$

$41+6=$

$22+4=$

$34+3=$

$65+2=$

$80+5=$

$77+1=$

$97+2=$

$15+4=$

$52+7=$

$73+3=$

$84+2=$

$20+9=$

$31+5=$

4 덧셈을 하여 가로세로 퍼즐을 완성해 보세요.

가로 열쇠		세로 열쇠	

①   2   6
   +   2
     2   8
	② 7 1
	   + 3
		㉠ 8 3
		   + 4
			㉡ 4 0
			   + 5

③   5   7
   +   2
	④ 3 2
	   + 4
		㉢ 9 2
		   + 4
			㉣ 6 4
			   + 5

⑤ 93＋2＝		㉤ 54＋4＝	

02 받아올림이 없는 (몇십)+(몇십)

🌿 40+20 알아보기

$$
\begin{array}{r}
4\,0 \\
+\ 2\,0 \\
\hline
\end{array}
\quad\Rightarrow\quad
\begin{array}{r}
4\ 0 \\
+\ 2\ 0 \\
\hline
0 \\
\end{array}
\quad\Rightarrow\quad
\begin{array}{r}
4\ 0 \\
+\ 2\ 0 \\
\hline
0 \\
6\ 0 \\
\end{array}
\quad\Rightarrow\quad
\begin{array}{r}
4\ 0 \\
+\ 2\ 0 \\
\hline
0 \\
6\ 0 \\
\hline
6\ 0 \\
\end{array}
$$

 1 그림을 보고 안에 알맞은 수를 써넣으세요.

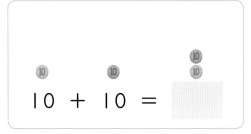

10 + 10 =

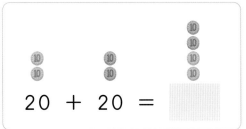

20 + 20 =

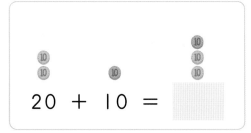

20 + 10 =

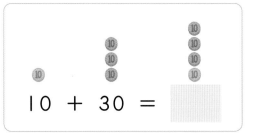

10 + 30 =

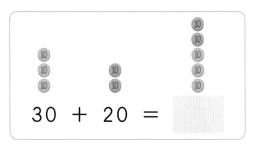

30 + 20 =

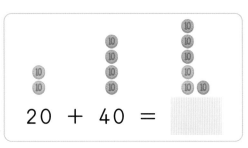

20 + 40 =

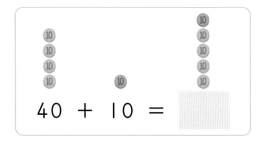

40 + 10 =

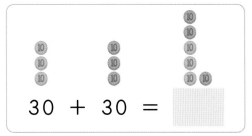

30 + 30 =

2 보기 와 같이 덧셈을 해 보세요.

```
    2  0
+   7  0
────────
    9  0
```

```
    1  0
+   5  0
────────
```

```
    3  0
+   4  0
────────
```

```
    2  0
+   3  0
────────
```

```
    4  0
+   5  0
────────
```

```
    3  0
+   1  0
────────
```

```
    6  0
+   2  0
────────
```

```
    5  0
+   2  0
────────
```

```
    5  0
+   3  0
────────
```

```
    8  0
+   1  0
────────
```

```
    2  0
+   4  0
────────
```

```
    4  0
+   4  0
────────
```

```
    1  0
+   6  0
────────
```

```
    3  0
+   5  0
────────
```

```
    2  0
+   1  0
────────
```

```
    7  0
+   1  0
────────
```

```
    3  0
+   3  0
────────
```

```
    6  0
+   3  0
────────
```

3 보기 와 같이 덧셈을 해 보세요.

보기

$60+20=$ ⟹ $60+20=$ 0 ⟹ $60+20=$ 8 0

$50+30=$

$20+40=$

$10+40=$

$60+30=$

$50+20=$

$80+10=$

$10+10=$

$30+30=$

$70+20=$

$20+10=$

$20+30=$

$40+30=$

$20+60=$

$40+50=$

4 빈 곳에 알맞은 수를 써넣으세요.

30
20
30+20

10
10

30
30

50
30

70
20

20
10

10
80

10
30

50
20

40
30

50
40

30
40

20
20

60
10

30
50

03 받아올림이 없는 (몇십몇)+(몇십몇)

정답 42쪽

🌿 13+24 알아보기

$$
\begin{array}{r}
1\ 3 \\
+\ 2\ 4 \\
\hline
\end{array}
\Rightarrow
\begin{array}{r}
1\ 3 \\
+\ 2\ 4 \\
\hline
7 \\
\end{array}
\Rightarrow
\begin{array}{r}
1\ 3 \\
+\ 2\ 4 \\
\hline
7 \\
3\ 0 \\
\end{array}
\Rightarrow
\begin{array}{r}
1\ 3 \\
+\ 2\ 4 \\
\hline
7 \\
3\ 0 \\
\hline
3\ 7 \\
\end{array}
$$

 1 그림을 보고 ▨ 안에 알맞은 수를 써넣으세요.

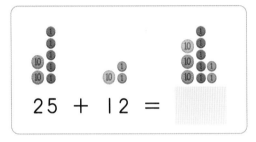

25 + 12 =

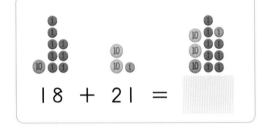

18 + 21 =

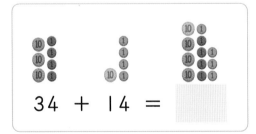

34 + 14 =

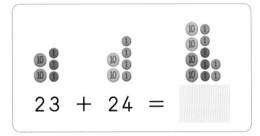

23 + 24 =

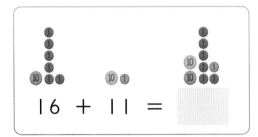

16 + 11 =

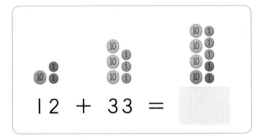

12 + 33 =

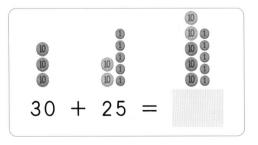

30 + 25 =

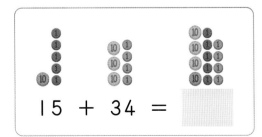

15 + 34 =

2 보기 와 같이 덧셈을 해 보세요.

보기

```
    4  7
+   3  2
─────────
    7  9
```

```
    2  4
+   3  4
─────────
```

```
    5  2
+   2  5
─────────
```

```
    2  3
+   2  5
─────────
```

```
    4  1
+   5  6
─────────
```

```
    6  0
+   1  4
─────────
```

```
    8  2
+   1  6
─────────
```

```
    7  4
+   2  2
─────────
```

```
    5  7
+   3  2
─────────
```

```
    2  5
+   4  3
─────────
```

```
    3  2
+   5  2
─────────
```

```
    1  3
+   1  6
─────────
```

```
    6  4
+   1  0
─────────
```

```
    1  5
+   8  1
─────────
```

```
    4  6
+   3  3
─────────
```

```
    5  4
+   2  4
─────────
```

```
    3  2
+   3  6
─────────
```

```
    7  5
+   2  3
─────────
```

3 보기 와 같이 덧셈을 해 보세요.

보기

$54+13=$ ⬜ ➡ $54+13=$ ⬜ **7** ➡ $54+13=$ **6** **7**

$21+47=$

$62+35=$

$16+70=$

$53+32=$

$83+14=$

$45+22=$

$36+42=$

$60+27=$

$74+23=$

$54+10=$

$48+31=$

$85+12=$

$25+33=$

$63+24=$

4 빈칸에 알맞은 수를 써넣으세요.

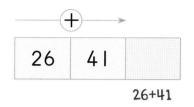

26+41

+		
25	34	

+		
32	55	

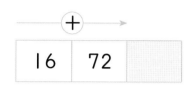

+		
34	33	

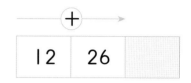

+		
43	52	

+		
84	13	

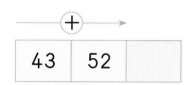

+		
42	36	

+		
35	11	

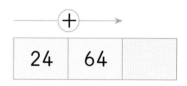

+		
13	43	

+		
53	40	

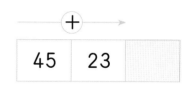

+		
25	34	

+		
13	85	

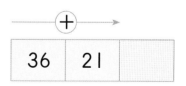

04 받아내림이 없는 (몇십몇)-(몇)

정답 43쪽

36-4 알아보기

```
  3 6        3 6        3 6        3 6
-   4      -   4      -   4      -   4
           ─────      ─────      ─────
             2          2          2
                       3 0        3 0
                                 ─────
                                  3 2
```

 1 그림을 보고 ▨ 안에 알맞은 수를 써넣으세요.

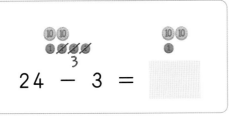

24 - 3 = ▨

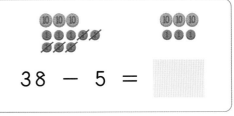

38 - 5 = ▨

35 - 2 = ▨

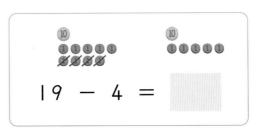

19 - 4 = ▨

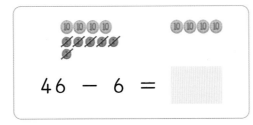

46 - 6 = ▨

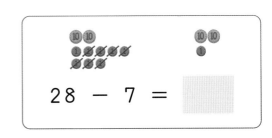

28 - 7 = ▨

16 - 3 = ▨

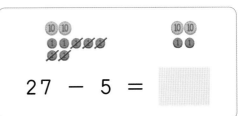

27 - 5 = ▨

16

2 보기 와 같이 뺄셈을 해 보세요.

보기

```
    4   8
  -     3
─────────
    4   5
```

```
    3   5
  -     2
─────────
```

```
    8   6
  -     3
─────────
```

```
    1   7
  -     3
─────────
```

```
    5   8
  -     5
─────────
```

```
    2   6
  -     4
─────────
```

```
    3   9
  -     9
─────────
```

```
    7   4
  -     2
─────────
```

```
    4   5
  -     1
─────────
```

```
    2   9
  -     6
─────────
```

```
    1   8
  -     7
─────────
```

```
    6   7
  -     5
─────────
```

```
    9   8
  -     6
─────────
```

```
    8   4
  -     2
─────────
```

```
    3   6
  -     3
─────────
```

```
    1   5
  -     4
─────────
```

```
    7   4
  -     3
─────────
```

```
    4   5
  -     3
─────────
```

보기 와 같이 뺄셈을 해 보세요.

보기

$68-3=$ ⬜ ➡ $68-3=$ ⬜ 5 ➡ $68-3=$ 6 5

$57-4=$

$35-2=$

$26-3=$

$44-1=$

$69-5=$

$84-2=$

$78-4=$

$97-3=$

$13-2=$

$52-2=$

$76-4=$

$49-7=$

$25-3=$

$36-5=$

4 뺄셈한 값이 작은 쪽의 길을 따라가 집에 도착해 보세요.

출발

25 - 4 =21

27 - 3 =24

36 - 3

39 - 7

43 - 1

48 - 4

59 - 6

55 - 3

67 - 6

64 - 2

74 - 2

76 - 6

87 - 3

84 - 3

95 - 4

95 - 3

도착

05 받아내림이 없는 (몇십)-(몇십)

🍂 50-20 알아보기

```
  5 0          5 0          5 0          5 0
- 2 0    ➡   - 2 0    ➡   - 2 0    ➡   - 2 0
               0            0            0
                          3 0          3 0
                                       3 0
```

 1 그림을 보고 ▨ 안에 알맞은 수를 써넣으세요.

⑩ ⑩ ⑩̸   ⑩ ⑩

30 - 10 =

⑩ ⑩̸ ⑩̸ ⑩̸   ⑩

40 - 30 =

⑩ ⑩̸   ⑩

20 - 10 =

⑩ ⑩ ⑩̸ ⑩̸ ⑩̸   ⑩ ⑩

50 - 30 =

⑩ ⑩̸ ⑩̸   ⑩

30 - 20 =

⑩ ⑩ ⑩ ⑩̸   ⑩ ⑩ ⑩

40 - 10 =

⑩ ⑩ ⑩̸ ⑩̸   ⑩ ⑩

40 - 20 =

⑩ ⑩ ⑩ ⑩̸ ⑩̸   ⑩ ⑩ ⑩

50 - 20 =

2 보기 와 같이 뺄셈을 해 보세요.

보기

```
    7  0
 -  4  0
─────────
    3  0
```

```
    8  0
 -  1  0
─────────
```

```
    5  0
 -  3  0
─────────
```

```
    3  0
 -  2  0
─────────
```

```
    5  0
 -  1  0
─────────
```

```
    6  0
 -  3  0
─────────
```

```
    9  0
 -  5  0
─────────
```

```
    7  0
 -  2  0
─────────
```

```
    2  0
 -  1  0
─────────
```

```
    4  0
 -  2  0
─────────
```

```
    8  0
 -  4  0
─────────
```

```
    9  0
 -  6  0
─────────
```

```
    3  0
 -  1  0
─────────
```

```
    5  0
 -  2  0
─────────
```

```
    7  0
 -  5  0
─────────
```

```
    4  0
 -  3  0
─────────
```

```
    6  0
 -  2  0
─────────
```

```
    8  0
 -  5  0
─────────
```

보기 와 같이 뺄셈을 해 보세요.

보기

$60-20=$ [   ] ➡ $60-20=$ [0] ➡ $60-20=$ [4][0]

$40-20=$ [   ]

$70-40=$ [   ]

$20-10=$ [   ]

$60-20=$ [   ]

$50-30=$ [   ]

$30-10=$ [   ]

$90-40=$ [   ]

$30-20=$ [   ]

$70-30=$ [   ]

$40-10=$ [   ]

$60-40=$ [   ]

$80-20=$ [   ]

$80-50=$ [   ]

$90-70=$ [   ]

4 　 안에 알맞은 수를 써넣으세요.

30
−20
30−20 [ ]

40
−10
[ ]

50
−30
[ ]

90
−40
[ ]

60
−20
[ ]

70
−60
[ ]

80
−20
[ ]

70
−50
[ ]

60
−30
[ ]

40
−20
[ ]

20
−10
[ ]

50
−20
[ ]

80
−40
[ ]

90
−80
[ ]

30
−10
[ ]

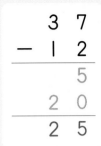

06 받아내림이 없는 (몇십몇)-(몇십몇)

정답 45쪽

🌰 37-12 알아보기

```
  3 7          3 7          3 7          3 7
- 1 2    →   - 1 2    →   - 1 2    →   - 1 2
               5            5             5
                          2 0           2 0
                                        2 5
```

 1 그림을 보고 ▨ 안에 알맞은 수를 써넣으세요.

25 - 13 =

38 - 24 =

33 - 21 =

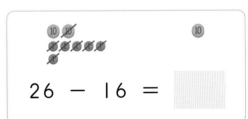
26 - 16 =

45 - 22 =

36 - 15 =

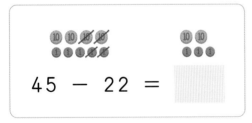

29 - 17 =

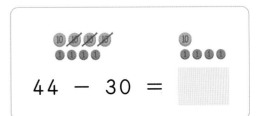
44 - 30 =

24

2 보기 와 같이 뺄셈을 해 보세요.

보기

```
    5  6
  -  2  1
     3  5
```

```
    4  7
  -  2  5
```

```
    8  4
  -  4  2
```

```
    3  8
  -  1  5
```

```
    5  4
  -  3  2
```

```
    6  5
  -  2  4
```

```
    9  8
  -  4  6
```

```
    8  6
  -  5  3
```

```
    4  4
  -  2  0
```

```
    2  9
  -  1  3
```

```
    7  3
  -  4  1
```

```
    9  7
  -  5  5
```

```
    5  1
  -  3  0
```

```
    4  6
  -  1  4
```

```
    7  7
  -  3  2
```

```
    3  6
  -  2  4
```

```
    6  3
  -  3  2
```

```
    8  4
  -  5  4
```

3 보기 와 같이 뺄셈을 해 보세요.

$47-23=$ ⬜ ➡ $47-23=$ ⬜ **4** ➡ $47-23=$ **2** **4**

$54-31=$

$67-42=$

$38-14=$

$45-33=$

$76-25=$

$89-56=$

$23-12=$

$98-47=$

$65-32=$

$46-23=$

$84-44=$

$37-25=$

$77-30=$

$58-26=$

4 빈칸에 알맞은 수를 써넣으세요.

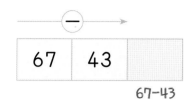

67 − 43

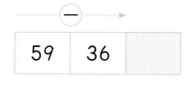

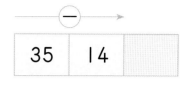

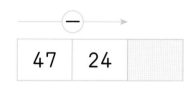

| 85 | 34 | |

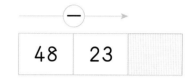

| 63 | 21 | |

| 36 | 15 | |

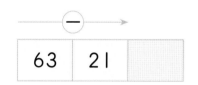

| 94 | 64 | |

| 45 | 33 | |

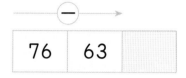

| 58 | 45 | |

| 87 | 76 | |

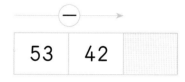

| 65 | 53 | |

| 99 | 43 | |

| 77 | 35 | |

유형 1

놀이터에 어린이가 ⑫명 있습니다. ⑥명의 어린이가 더 왔다면 놀이터에 있는 어린이는 모두 몇 명일까요?

■▶ **주어진 수에 ◯표 하고, 구하는 것에 밑줄 치기**

처음에 있던 어린이의 수: **12** 명, 더 온 어린이의 수: 명

■▶ **문제 해결하기**

처음에 있던 어린이의 수와 더 온 어린이의 수를 (더합니다 , 뺍니다).

■▶ **문제 풀기**

(놀이터에 있는 어린이의 수)＝(처음에 있던 어린이의 수)＋(더 온 어린이의 수)

＝   ＋   ＝   (명)

■▶ **답 쓰기** 놀이터에 있는 어린이는 모두   명입니다.

유형+ 1

꽃집에 장미 43송이와 튤립 20송이가 있습니다. 꽃집에 있는 꽃은 모두 몇 송이일까요?

■▶ **주어진 수에 ◯표 하고, 구하는 것에 밑줄 치기**

꽃집에 있는 장미의 수: 송이, 튤립의 수: 송이

■▶ **문제 해결하기**

꽃집에 있는 장미의 수와 튤립의 수를 (더합니다 , 뺍니다).

■▶ **문제 풀기**

(꽃집에 있는 꽃의 수)＝(장미의 수)＋(튤립의 수)

＝   ＋   ＝   (송이)

■▶ **답 쓰기** 꽃집에 있는 꽃은 모두   송이입니다.

윤찬이는 어제 수학 문제를 12문제 풀었고, 오늘은 26문제를 풀었습니다. 오늘은 어제보다 몇 문제 더 풀었을까요?

▶ **주어진 수에 ○표 하고, 구하는 것에 밑줄 치기**

어제 푼 수학 문제의 수: 12   문제, 오늘 푼 수학 문제의 수: 문제

▶ **문제 해결하기**

오늘 푼 수학 문제의 수에서 어제 푼 수학 문제의 수를 (더합니다 , 뺍니다).

▶ **문제 풀기**

(더 푼 수학 문제의 수)=(오늘 푼 수학 문제의 수)−(어제 푼 수학 문제의 수)

=   −   =   (문제)

▶ **답 쓰기**   오늘 더 푼 수학 문제는   문제입니다.

도넛 가게에 딸기 도넛이 28개 있었는데 손님에게 13개를 팔았습니다. 남은 딸기 도넛은 몇 개일까요?

▶ **주어진 수에 ○표 하고, 구하는 것에 밑줄 치기**

처음에 있던 딸기 도넛의 수: 개, 손님에게 판 딸기 도넛의 수: 개

▶ **문제 해결하기**

처음에 있던 딸기 도넛의 수에서 손님에게 판 딸기 도넛의 수를 (더합니다 , 뺍니다).

▶ **문제 풀기**

(남은 딸기 도넛의 수)=(처음에 있던 딸기 도넛의 수)−(손님에게 판 딸기 도넛의 수)

=   −   =   (개)

▶ **답 쓰기**   남은 딸기 도넛은   개입니다.

● ☐ 안에 알맞은 수를 써넣고, 답을 구하세요.

1 Drill

예준이네 반에는 여학생이 16명, 남학생이 13명 있습니다. 예준이네 반 학생은 모두 몇 명일까요?

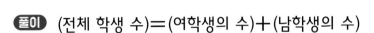
주어진 수에 ○표 하고, 구하는 것에 밑줄 쫙!

풀이 (전체 학생 수)=(여학생의 수)+(남학생의 수)

= ☐ + ☐ = ☐ (명)

답 ☐ 명

2 Drill

주환이는 산에서 밤을 20개 주웠고, 서윤이는 주환이보다 10개 더 주웠습니다. 서윤이가 주운 밤은 몇 개일까요?

풀이 (서윤이가 주운 밤의 수)=(주환이가 주운 밤의 수)+(주환이보다 더 주운 밤의 수)

= ☐ + ☐ = ☐ (개)

답 ☐ 개

3 Drill

냉장고에 귤이 38개, 사과가 5개 있습니다. 냉장고에 있는 귤은 사과보다 몇 개 더 많을까요?

풀이 (더 많은 귤의 수)=(귤의 수)−(사과의 수)

= ☐ − ☐ = ☐ (개)

답 ☐ 개

4 Drill

현수는 냇가에서 물고기 27마리를 잡았는데 14마리를 놓아주었습니다. 남은 물고기는 몇 마리일까요?

풀이 (남은 물고기의 수)=(현수가 잡은 물고기의 수)−(놓아준 물고기의 수)

= ☐ − ☐ = ☐ (마리)

답 ☐ 마리

● **서술형 문제를 읽고 풀이 과정과 답을 쓰세요.**

도전 ①

농장에 닭이 42마리, 병아리가 26마리 있습니다. 농장에 있는 닭과 병아리는 모두 몇 마리일까요?

풀이

답 _____

도전 ②

가영이는 8살이고, 어머니는 가영이보다 31살 더 많습니다. 가영이 어머니는 몇 살일까요?

풀이

답 _____

도전 ③

땅콩이 34개, 호두가 13개 있습니다. 땅콩은 호두보다 몇 개 더 많을까요?

풀이

답 _____

도전 ④

회전목마를 타려고 49명이 줄을 섰습니다. 이번에 38명이 회전목마를 탄다면 남는 사람은 몇 명일까요?

풀이

답 _____

초등 1-2

6 덧셈과 뺄셈 (3)

01 그림을 보고 ▨ 안에 알맞은 수를 써 넣으세요.

(1)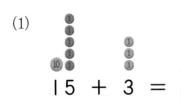

15 + 3 =

(2)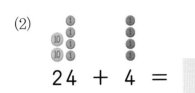

24 + 4 =

02 덧셈을 해 보세요.

(1)
```
    2  3
+      5
```

(2)
```
    9  1
+      2
```

03 덧셈을 해 보세요.

(1) 22 + 4 =

(2) 65 + 2 =

04 덧셈을 해 보세요.

(1)
```
    3  0
+   4  0
```

(2)
```
    1  0
+   5  0
```

(3)
```
    6  0
+   2  0
```

(4)
```
    3  0
+   3  0
```

(5)
```
    2  0
+   7  0
```

05 덧셈을 해 보세요.

(1) 10+80=

(2) 40+40=

(3) 20+30=

(4) 50+20=

(5) 20+40=

06 빈 곳에 알맞은 수를 써넣으세요.

(1)

70
10

(2)

30
60

07 그림을 보고 　 안에 알맞은 수를 써넣으세요.

(1)

14 + 12 =

(2)

15 + 21 =

08 덧셈을 해 보세요.

(1)
$$\begin{array}{r} 4\ 2 \\ +\ 2\ 5 \\ \hline \end{array}$$

(2)
$$\begin{array}{r} 5\ 0 \\ +\ 3\ 6 \\ \hline \end{array}$$

09 덧셈을 해 보세요.

(1) $32 + 15 =$

(2) $66 + 23 =$

10 빈칸에 알맞은 수를 써넣으세요.

(1)

| 41 | 34 | |

(2)

| 26 | 63 | |

11 안에 알맞은 수를 써넣으세요.

(1)

$16 - 3 =$

(2)

$27 - 6 =$

12 뺄셈을 해 보세요.

(1)
$$\begin{array}{r} 5\ \ 8 \\ -\ \ \ \ 4 \\ \hline \end{array}$$

(2)
$$\begin{array}{r} 3\ \ 5 \\ -\ \ \ \ 3 \\ \hline \end{array}$$

13 뺄셈을 해 보세요.

(1) $86 - 4 =$

(2) $59 - 5 =$

14 뺄셈을 해 보세요.

(1)
$$\begin{array}{r} 6\ \ 0 \\ -\ 2\ \ 0 \\ \hline \end{array}$$

(2)
$$\begin{array}{r} 5\ \ 0 \\ -\ 4\ \ 0 \\ \hline \end{array}$$

(3)
$$\begin{array}{r} 7\ \ 0 \\ -\ 1\ \ 0 \\ \hline \end{array}$$

(4)
$$\begin{array}{r} 9\ \ 0 \\ -\ 4\ \ 0 \\ \hline \end{array}$$

(5)
$$\begin{array}{r} 8\ \ 0 \\ -\ 6\ \ 0 \\ \hline \end{array}$$

15 뺄셈을 해 보세요.

(1) $80 - 20 =$

(2) $60 - 30 =$

(3) $80 - 70 =$

(4) $70 - 50 =$

(5) $90 - 20 =$

16 　 안에 알맞은 수를 써넣으세요.

(1)
70
↓
−50

(2)
60
↓
−20

17 그림을 보고 　 안에 알맞은 수를 써넣으세요.

(1)
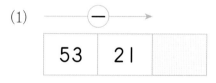
25 − 13 =

(2)

34 − 20 =

18 뺄셈을 해 보세요.

(1)
```
    7  6
 −  3  3
```

(2)
```
    5  8
 −  2  6
```

19 뺄셈을 해 보세요.

(1) 67 − 26 =

(2) 88 − 54 =

20 빈칸에 알맞은 수를 써넣으세요.

(1)
─ ─ →

| 53 | 21 | |

(2)
─ ─ →

| 96 | 44 | |

[1~2] 그림을 보고 █ 안에 알맞은 수를 써 넣으세요.

1

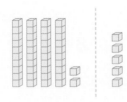

$42+5=$ █

2

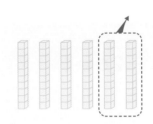

$60-20=$ █

3 계산을 하세요.

(1)
```
    2 7
+   4 2
```

(2)
```
    6 9
-   2 5
```

4 빈 곳에 알맞은 수를 써넣으세요.

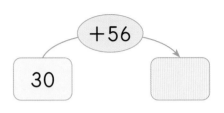

5 🔲 모양 안에 있는 수의 합을 구해 보세요.

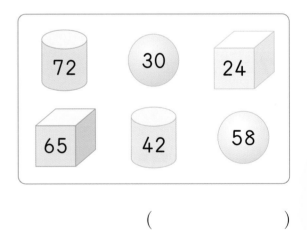

( )

6 두 수의 합과 차를 구하세요.

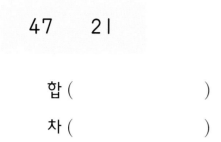

$$47 \qquad 21$$

합 (　　　　　　　　)

차 (　　　　　　　　)

7 두 수의 차를 빈 곳에 써넣으세요.

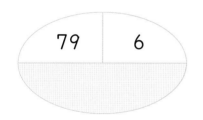

8 빈칸에 알맞은 수를 써넣으세요.

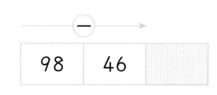

9 그림을 보고 덧셈식을 세워 계산을 하세요.

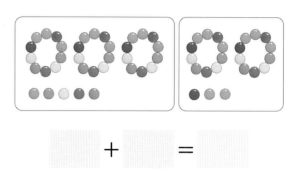

$$\boxed{} + \boxed{} = \boxed{}$$

10 그림을 보고 뺄셈식을 세워 계산을 하세요.

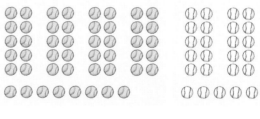

$$\boxed{} - \boxed{} = \boxed{}$$

11 잘못 계산한 사람은 누구일까요?

영수: 6+32=38
민국: 5+43=93

(   )

12 관계있는 것끼리 선으로 이어 보세요.

36+23 •   • 55

98−41 •   • 57

43+12 •   • 59

13 계산 결과가 더 큰 것에 ○표 하세요.

84−21   97−33

(   )   (   )

14 계산 결과가 나머지 넷과 <u>다른</u> 하나는 어느 것일까요? (   )

① 30+2   ② 12+20

③ 21+11   ④ 62−40

⑤ 58−26

15 계산 결과가 큰 것부터 차례로 1, 2, 3을   안에 쓰세요.

32+5 ◯

7+31 ◯

33+6 ◯

16 가장 큰 수와 가장 작은 수의 차를 구하세요.

| 65 | 83 | 34 | 96 |

(   )

17 차가 32가 되는 두 수를 찾아 ◯표 하세요.

63   59   31

18 재석이는 줄넘기를 오전에 42번, 오후에 56번 했습니다. 재석이는 오늘 줄넘기를 모두 몇 번 했을까요?

(   )번

19 운동장에 학생이 75명 있습니다. 그 중에서 32명이 남학생일 때, 여학생은 몇 명인지 풀이 과정을 쓰고 답을 구하세요.

풀이

답

20 그림을 보고 수수깡의 수를 세어 여러 가지 뺄셈식을 만들어 보세요.

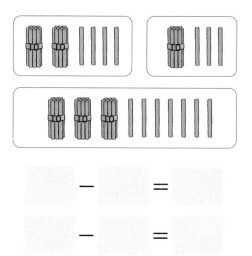

☐ ― ☐ = ☐

☐ ― ☐ = ☐

memo

논리적 사고력과 창의적 문제해결력을 키워 주는
매스티안 교재 활용법!

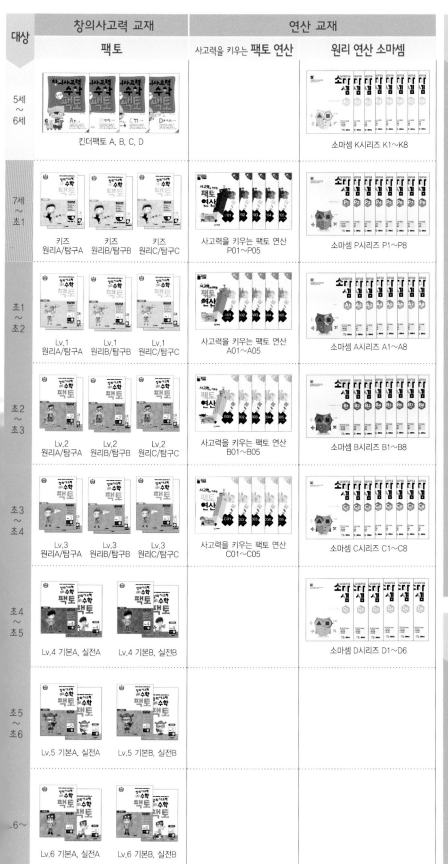

대상	창의사고력 교재	연산 교재	
	팩토	사고력을 키우는 **팩토 연산**	원리 연산 소마셈
5세 ~ 6세	킨더팩토 A, B, C, D		소마셈 K시리즈 K1~K8
7세 ~ 초1	키즈 원리A/탐구A · 키즈 원리B/탐구B · 키즈 원리C/탐구C	사고력을 키우는 팩토 연산 P01~P05	소마셈 P시리즈 P1~P8
초1 ~ 초2	Lv.1 원리A/탐구A · Lv.1 원리B/탐구B · Lv.1 원리C/탐구C	사고력을 키우는 팩토 연산 A01~A05	소마셈 A시리즈 A1~A8
초2 ~ 초3	Lv.2 원리A/탐구A · Lv.2 원리B/탐구B · Lv.2 원리C/탐구C	사고력을 키우는 팩토 연산 B01~B05	소마셈 B시리즈 B1~B8
초3 ~ 초4	Lv.3 원리A/탐구A · Lv.3 원리B/탐구B · Lv.3 원리C/탐구C	사고력을 키우는 팩토 연산 C01~C05	소마셈 C시리즈 C1~C8
초4 ~ 초5	Lv.4 기본A, 실전A · Lv.4 기본B, 실전B		소마셈 D시리즈 D1~D6
초5 ~ 초6	Lv.5 기본A, 실전A · Lv.5 기본B, 실전B		
-6~	Lv.6 기본A, 실전A · Lv.6 기본B, 실전B		

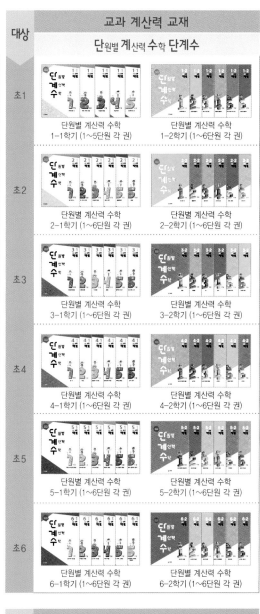

대상	교과 계산력 교재	
	단원별 **계산력 수학 단계수**	
초1	단원별 계산력 수학 1-1학기 (1~5단원 각 권)	단원별 계산력 수학 1-2학기 (1~6단원 각 권)
초2	단원별 계산력 수학 2-1학기 (1~5단원 각 권)	단원별 계산력 수학 2-2학기 (1~6단원 각 권)
초3	단원별 계산력 수학 3-1학기 (1~6단원 각 권)	단원별 계산력 수학 3-2학기 (1~6단원 각 권)
초4	단원별 계산력 수학 4-1학기 (1~6단원 각 권)	단원별 계산력 수학 4-2학기 (1~6단원 각 권)
초5	단원별 계산력 수학 5-1학기 (1~6단원 각 권)	단원별 계산력 수학 5-2학기 (1~6단원 각 권)
초6	단원별 계산력 수학 6-1학기 (1~6단원 각 권)	단원별 계산력 수학 6-2학기 (1~6단원 각 권)

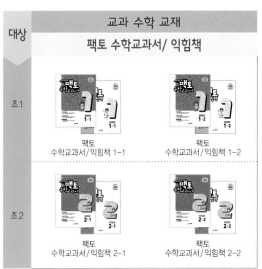

대상	교과 수학 교재	
	팩토 **수학교과서/ 익힘책**	
초1	팩토 수학교과서/익힘책 1-1	팩토 수학교과서/익힘책 1-2
초2	팩토 수학교과서/익힘책 2-1	팩토 수학교과서/익힘책 2-2

단계수 학습 순서

매일 학습

단원별로 꼭 알아야 할 개념만 쏙쏙 학습하고, 다양한 연산 문제를 통해 필수 개념을 숙달하여 계산력을 쑥쑥 키울 수 있습니다.

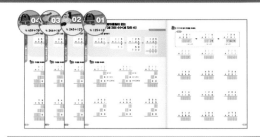

도전! 응용문제

필수 개념을 활용한 **응용** 문제 또는 **서술형** 문제를 통해 사고력과 문제해결력을 기를 수 있습니다.

형성 평가

단원의 **복습 단계**로 문제를 풀면서 학습한 내용을 잘 알고 있는지 다시 한 번 확인할 수 있습니다.

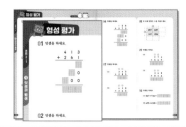

단원 평가

단원의 **마무리 학습**으로 학교 시험에 자주 나오는 문제 유형을 통해서 수시 평가 등 학교 시험에 대비할 수 있습니다.

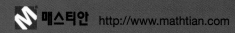 매스티안 http://www.mathtian.com

자율안전확인신고필증번호 : B361H200-4001
1. 주소 : 06153 서울특별시 강남구 봉은사로 442 (삼성동)
2. 문의전화 : 1588-6066
3. 제조국 : 대한민국
4. 사용연령 : 8세 이상
※ KC마크는 이 제품이 공통안전기준에 적합하였음을 의미합니다.

 ⚠ 주의
종이, 모서리에 다칠 수 있으니 주의하세요!

	초등학교	반	번
이름			

단원별 계산력 수학

정답

매스티안

팩토는 자유롭게 자신감있게 창의적으로 생각하는 주니어수학자입니다.

단원별 **계**산력 **수**학

펴낸 곳 (주)타임교육C&P　　**펴낸이** 이길호　　**지은이** 매스티안R&D센터
주소 06153 서울특별시 강남구 봉은사로 442 (삼성동)　　**문의전화** 1588.6066
팩토카페 http://cafe.naver.com/factos　　**홈페이지** http://www.mathtian.com

생각이 자유로운 사람들! 매스티안R&D센터

매스티안R&D센터의 논리적 사고력과 창의적 문제해결력을 키우는 수학 콘텐츠는 국내외 수많은 교육 현장에서 그 우수성을 높이 평가받고 있습니다.
매스티안R&D센터는 여기에 안주하지 않고 앞으로도 학생, 교사, 학부모 모두가 행복한 수학 시간을 만들 수 있도록 노력하겠습니다.

매스티안 공식 홈페이지 … (http://www.mathtian.com)

· 매스티안의 다양한 출간 교재 소개

· 출간 교재와 관련된 학습 자료(보충 학습지, 활동지 등) 제공

· 출간 교재와 관련된 평가 시험 및 분석 제공

매스티안 공식 카페 … 팩토 (http://cafe.naver.com/factos)

· 창의사고력 수학 팩토 무료 동영상 강의 제공

· 출간 교재에 관한 질문 및 답변

· 영재교육원 대비 자료(기출 문제, 예상 문제) 제공

· 초등 수학 비법 및 Q&A

1-2

초등 수학
팩토

단원별

계산력

수학

원별

산력

학

정답

매스티안

01 60, 70, 80, 90

정답 02쪽

	수	읽기
10개씩 6묶음이면 60	60	육십, 예순
10개씩 7묶음이면 70	70	칠십, 일흔
10개씩 8묶음이면 80	80	팔십, 여든
10개씩 9묶음이면 90	90	구십, 아흔

1 수를 읽으며 따라 써 보세요.

육십	육십	육십	60	예순	예순	예순
칠십	칠십	칠십	70	일흔	일흔	일흔
팔십	팔십	팔십	80	여든	여든	여든
구십	구십	구십	90	아흔	아흔	아흔

2 같은 수끼리 이어 보세요.

3 그림을 보고 □ 안에 알맞은 수를 써넣으세요.

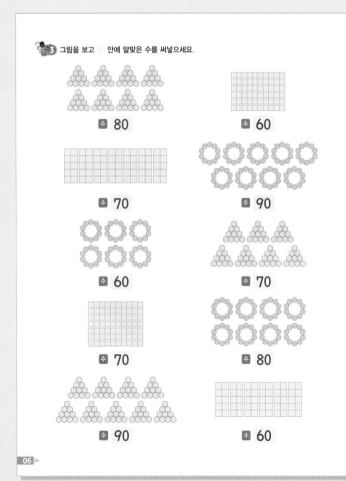

수 80   수 60

수 70   수 90

수 60   수 70

수 70   수 80

수 90   수 60

4 10개씩 묶어 세어 보세요.

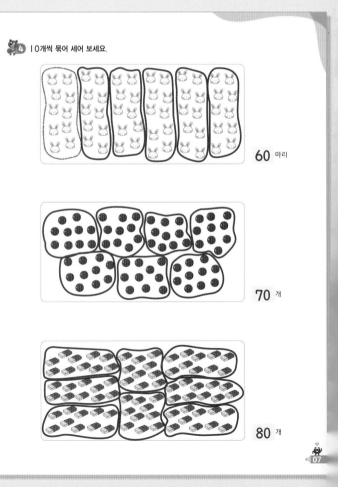

60 마리

70 개

80 개

02 99까지의 수

정답 03쪽

몇십몇 알아보기

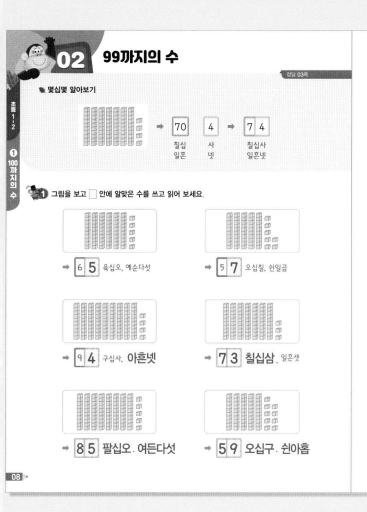

→ 70 4 → 7 4
칠십 사 칠십사
일흔 넷 일흔넷

1 그림을 보고 □ 안에 알맞은 수를 쓰고 읽어 보세요.

→ 6 5 육십오, 예순다섯　　→ 5 7 오십칠, 쉰일곱

→ 9 4 구십사, 아흔넷　　→ 7 3 칠십삼, 일흔셋

→ 8 5 팔십오, 여든다섯　　→ 5 9 오십구, 쉰아홉

2 동전을 세어 □ 안에 알맞은 수를 써넣으세요.

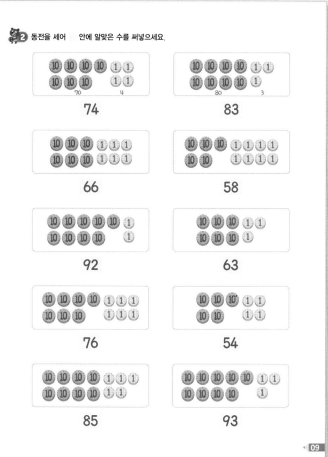

74　　83

66　　58

92　　63

76　　54

85　　93

3 그림을 보고 수로 나타내고 읽어 보세요.

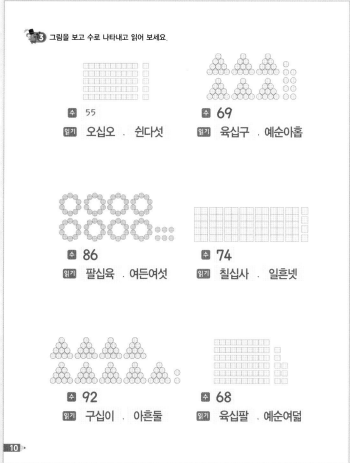

수 55　　수 69
읽기 오십오 · 쉰다섯　읽기 육십구 · 예순아홉

수 86　　수 74
읽기 팔십육 · 여든여섯　읽기 칠십사 · 일흔넷

수 92　　수 68
읽기 구십이 · 아흔둘　읽기 육십팔 · 예순여덟

4 빈 곳에 알맞은 수를 써넣으세요.

오십사 50 4	→ 54	칠십팔 70 8	→ 78	팔십삼 80 3	→ 83
육십이	→ 62	팔십칠	→ 87	구십육	→ 96
칠십일	→ 71	오십육	→ 56	육십사	→ 64
팔십오	→ 85	육십팔	→ 68	구십칠	→ 97
구십일	→ 91	칠십이	→ 72	오십구	→ 59
여든일곱 80 7	→ 87	예순넷 60 4	→ 64	일흔아홉 70 9	→ 79
쉰여덟	→ 58	아흔다섯	→ 95	예순둘	→ 62
아흔하나	→ 91	여든셋	→ 83	쉰여섯	→ 56
쉰하나	→ 51	일흔여섯	→ 76	예순일곱	→ 67
일흔여덟	→ 78	아흔넷	→ 94	여든둘	→ 82

03 수의 순서

정답 04쪽

초등1·2
① 100까지의 수

⚊ 100 알아보기

51	52	53	54	55	56	57	58	59	60
61	62	63	64	65	66	67	68	69	70
71	72	73	74	75	76	77	78	79	80
81	82	83	84	85	86	87	88	89	90
91	92	93	94	95	96	97	98	99	100

99보다 1만큼 더 큰 수를
100이라고 합니다.
쓰기 100   읽기 백

1 순서를 생각하며 빈 곳에 알맞은 수를 써넣으세요.

57 – 58 – 59 – **60** – 61 – 62 – **63** – 64 – **65**

77 – 78 – **79** – **80** – 81 – **82** – 83 – **84** – **85**

87 – 88 – 89 – **90** – **91** – 92 – **93** – **94** – 95

앞의 수		뒤의 수		앞의 수		뒤의 수		앞의 수		뒤의 수
64	**65**	66		77	**78**	79		60	**61**	62
72	**73**	74		89	**90**	91		78	**79**	80
95	**96**	97		92	**93**	94		84	**85**	86

2 보기 와 같이 규칙을 찾아 빈칸에 알맞은 수를 써넣으세요.

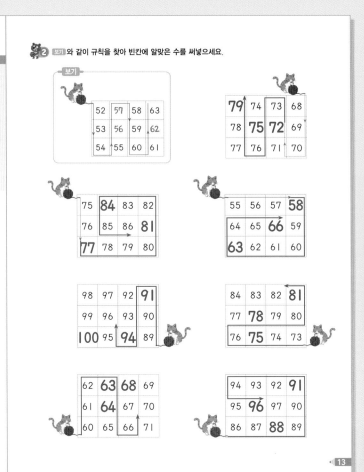

3 수를 순서대로 선으로 이어 보세요.

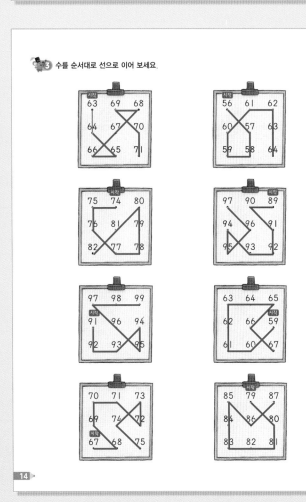

4 주어진 표에서 빠진 수를 찾아 써 보세요.

보기
55부터 71까지의 수

60	55	67	64
58	61	70	56
69	66	57	71
63	68	62	65

빠진 수: **59**

61부터 77까지의 수

71	62	76	65
68	73	61	75
63	66	69	77
72	64	74	70

빠진 수: **67**

80부터 96까지의 수

81	92	95	84
93	85	91	96
90	82	94	80
86	88	83	87

빠진 수: **89**

59부터 75까지의 수

67	75	61	73
59	72	74	70
65	68	62	64
69	60	71	63

빠진 수: **66**

78부터 94까지의 수

80	89	94	81
92	86	91	90
83	78	93	84
87	90	82	79

빠진 수: **85**

83부터 99까지의 수

95	98	86	90
92	89	99	83
84	96	94	97
87	93	85	88

빠진 수: **91**

04 수의 크기 비교

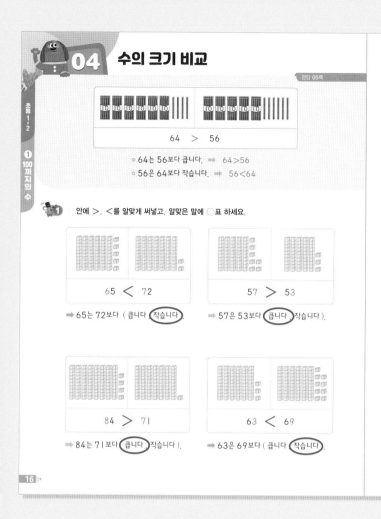

64 > 56

◦ 64는 56보다 큽니다. ➡ 64>56
◦ 56은 64보다 작습니다. ➡ 56<64

1 ◯ 안에 >, <를 알맞게 써넣고, 알맞은 말에 ◯표 하세요.

65 < 72

➡ 65는 72보다 (큽니다 (작습니다)).

57 > 53

➡ 57은 53보다 ((큽니다) 작습니다).

84 > 71

➡ 84는 71보다 ((큽니다) 작습니다).

63 < 69

➡ 63은 69보다 (큽니다 (작습니다)).

2 같은 종류의 동전끼리 수를 비교하여 ◯ 안에 >, <를 알맞게 써넣으세요.

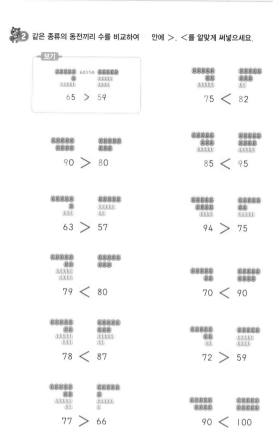

보기
60>50
65 > 59

75 < 82

90 > 80

85 < 95

63 > 57

94 > 75

79 < 80

70 < 90

78 < 87

72 > 59

77 > 66

90 < 100

3 같은 종류의 동전끼리 수를 비교하여 ◯ 안에 >, <를 알맞게 써넣으세요.

보기
80=80
2<5
82 < 85

74 > 73

61 > 60

92 < 95

59 > 57

87 > 83

95 < 98

66 > 64

73 > 70

55 < 58

86 < 89

90 < 93

4 크기를 비교하여 ◯ 안에 >, <를 알맞게 써넣으세요.

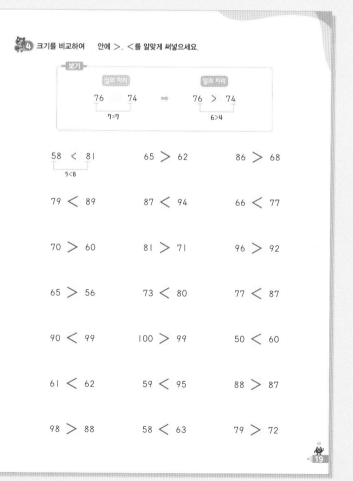

보기

십의 자리	일의 자리
76 ☐ 74 ➡	76 > 74
7=7	6>4

58 < 81
5<8

65 > 62

86 > 68

79 < 89

87 < 94

66 < 77

70 > 60

81 > 71

96 > 92

65 > 56

73 < 80

77 < 87

90 < 99

100 > 99

50 < 60

61 < 62

59 < 95

88 > 87

98 > 88

58 < 63

79 > 72

도전! 응용 문제

정답 06쪽

❀ 짝수와 홀수

| ●━● ●━● ●━● ●━● | 짝을 지을 수 있습니다. | ●━● ●━● ●━● ● | 짝을 지을 수 없습니다. |

8 ➡ ((짝수) , 홀수)   7 ➡ (짝수 , (홀수))

문제① 둘씩 짝을 지은 것을 보고, 모두 짝을 지을 수 있는 수는 '짝수'에, 짝을 지을 수 없는 수는 '홀수'에 ◯표 하세요.

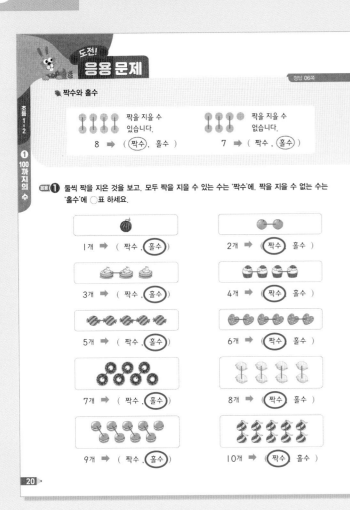

1개 ➡ (짝수 , (홀수))   2개 ➡ ((짝수) , 홀수)

3개 ➡ (짝수 , (홀수))   4개 ➡ ((짝수) , 홀수)

5개 ➡ (짝수 , (홀수))   6개 ➡ ((짝수) , 홀수)

7개 ➡ (짝수 , (홀수))   8개 ➡ ((짝수) , 홀수)

9개 ➡ (짝수 , (홀수))   10개 ➡ ((짝수) , 홀수)

문제② 둘씩 짝을 지어보고, 짝을 지을 수 있는 수는 '짝수'에, 짝을 지을 수 없는 수는 '홀수'에 ◯표 하세요.

보기

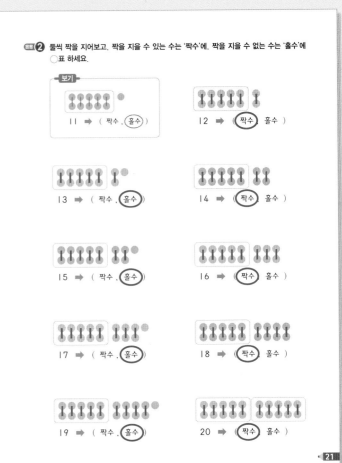

11 ➡ (짝수 , (홀수))   12 ➡ ((짝수) , 홀수)

13 ➡ (짝수 , (홀수))   14 ➡ ((짝수) , 홀수)

15 ➡ (짝수 , (홀수))   16 ➡ ((짝수) , 홀수)

17 ➡ (짝수 , (홀수))   18 ➡ ((짝수) , 홀수)

19 ➡ (짝수 , (홀수))   20 ➡ ((짝수) , 홀수)

문제③ 둘씩 짝을 지을 수 있는 수는 '짝수'에, 짝을 지을 수 없는 수는 '홀수'에 ◯표 하고, 알 수 있는 사실을 완성해 보세요.

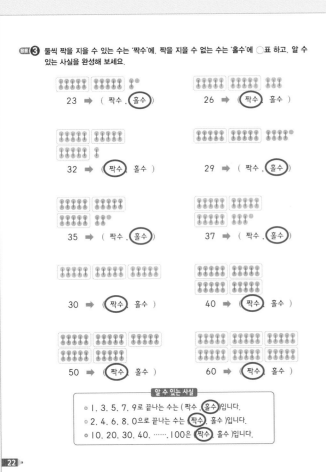

23 ➡ (짝수 , (홀수))   26 ➡ ((짝수) , 홀수)

32 ➡ ((짝수) , 홀수)   29 ➡ (짝수 , (홀수))

35 ➡ (짝수 , (홀수))   37 ➡ (짝수 , (홀수))

30 ➡ ((짝수) , 홀수)   40 ➡ ((짝수) , 홀수)

50 ➡ ((짝수) , 홀수)   60 ➡ ((짝수) , 홀수)

알 수 있는 사실

◦ 1, 3, 5, 7, 9로 끝나는 수는 (짝수 , (홀수))입니다.
◦ 2, 4, 6, 8, 0으로 끝나는 수는 ((짝수) , 홀수)입니다.
◦ 10, 20, 30, 40, ……, 100은 ((짝수) , 홀수)입니다.

문제④ 알맞은 말에 ◯표 하세요.

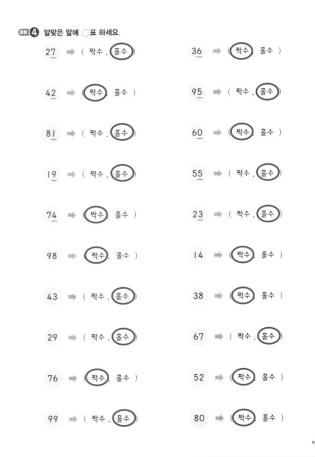

2**7** ➡ (짝수 , (홀수))   3**6** ➡ ((짝수) , 홀수)

4**2** ➡ ((짝수) , 홀수)   9**5** ➡ (짝수 , (홀수))

8**1** ➡ (짝수 , (홀수))   6**0** ➡ ((짝수) , 홀수)

1**9** ➡ (짝수 , (홀수))   5**5** ➡ (짝수 , (홀수))

7**4** ➡ ((짝수) , 홀수)   2**3** ➡ (짝수 , (홀수))

98 ➡ ((짝수) , 홀수)   14 ➡ ((짝수) , 홀수)

43 ➡ (짝수 , (홀수))   38 ➡ ((짝수) , 홀수)

29 ➡ (짝수 , (홀수))   67 ➡ (짝수 , (홀수))

76 ➡ ((짝수) , 홀수)   52 ➡ ((짝수) , 홀수)

99 ➡ (짝수 , (홀수))   80 ➡ ((짝수) , 홀수)

형성 평가

정답 07쪽

01 수를 읽으며 따라 써 보세요.

육십	60	예순
칠십	70	일흔
팔십	80	여든
구십	90	아흔

02 같은 수끼리 이어 보세요.

70   구십
90   칠십
80   팔십
60   육십

03 같은 수끼리 이어 보세요.

80   아흔
60   여든
70   예순
90   일흔

04 안에 알맞은 수를 써넣으세요.

(1)
수 **60**

(2)
수 **70**

05 10개씩 묶어 세어 보세요.

90 개

06 그림을 보고 □ 안에 알맞은 수를 쓰고 읽어 보세요.

→ **8 7**
팔십칠 · 여든일곱

07 동전을 세어 안에 알맞은 수를 써넣으세요.

(1)
73

(2)
84

08 그림을 보고 수로 나타내고 읽어 보세요.

(1)
수 **64**
읽기 육십사 · 예순넷

(2)
수 **78**
읽기 칠십팔 · 일흔여덟

09 빈 곳에 알맞은 수를 써넣으세요.

(1) 오십육 → **56**
(2) 구십오 → **95**
(3) 팔십팔 → **88**
(4) 육십구 → **69**
(5) 칠십삼 → **73**

10 빈 곳에 알맞은 수를 써넣으세요.

(1) 예순셋 → **63**
(2) 여든다섯 → **85**
(3) 일흔여덟 → **78**
(4) 쉰둘 → **52**
(5) 아흔일곱 → **97**

11 순서를 생각하며 빈 곳에 알맞은 수를 써넣으세요.

(1) 68 69 **70** 71 **72**
(2) 86 **87** 88 **89 90**

12 빈칸에 알맞은 수를 써넣으세요.

앞의 수		뒤의 수
(1) 56	**57**	58
(2) 79	**80**	81

13 규칙을 찾아 빈칸에 알맞은 수를 써넣으세요.

67	68	69	**70**
74	**73**	**72**	71
75	76	77	78

14 수를 순서대로 선으로 이어 보세요.

73	74	79
75	80	78
81	76	77

15 주어진 표에서 빠진 수를 찾아 써 보세요.

68부터 84까지의 수

73	83	78	71
79	68	84	75
69	72	77	81
80	74	82	70

빠진 수: **76**

16 안에 >, <를 알맞게 써넣고, 알맞은 말에 ○표 하세요.

75 > **68**
→ 75는 68보다
(큽니다) 작습니다

17 같은 종류의 동전끼리 수를 비교하여 안에 >, <를 알맞게 써넣으세요.

79 < **86**

18 같은 종류의 동전끼리 수를 비교하여 안에 >, <를 알맞게 써넣으세요.

59 > **57**

19 크기를 비교하여 안에 >, <를 알맞게 써넣으세요.

(1) 59 **<** 62
(2) 92 **>** 91
(3) 65 **<** 78
(4) 55 **<** 59
(5) 82 **>** 79

20 알맞은 말에 ○표 하세요.

(1) 61 → (짝수 . (홀수))
(2) 76 → ((짝수) . 홀수)
(3) 80 → ((짝수) . 홀수)
(4) 99 → (짝수 . (홀수))
(5) 28 → ((짝수) . 홀수)

단원평가 **1. 100까지의 수**

1 수 모형을 보고 ☐ 안에 알맞은 수를 써넣으세요.

80

2 수를 두 가지 방법으로 읽어 보세요.

70

칠십 . **일흔**

3 정국이는 색종이를 90장 사려고 합니다. 10장씩 묶음으로만 판매한다면, 색종이는 몇 묶음을 사야 할까요?

(**9**)묶음

4 관계있는 것끼리 이어 보세요.

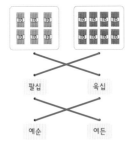

팔십   육십

예순   여든

5 빈 곳에 알맞은 수를 써넣으세요.

10개씩 묶음	낱개	⇒ **68**
6	8	

6 수로 써 보세요.

(1) 예순다섯 ⇒ **65**

(2) 팔십칠 ⇒ **87**

7 다음 중 수를 잘못 읽은 것은 어느 것일까요? (**④**)

① 54 – 오십사, 쉰넷
② 79 – 칠십구, 일흔아홉
③ 61 – 육십일, 예순하나
④ 83 – 팔십셋, 여든삼
⑤ 97 – 구십칠, 아흔일곱

8 박하사탕이 10개씩 7묶음과 낱개로 3개 있습니다. 박하사탕은 모두 몇 개일까요?

(**73**)개

9 빈 곳에 알맞은 수를 써넣으세요.

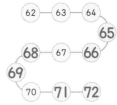

10 빈 곳에 알맞은 수를 써넣으세요.

(1) | 1 작은 수 | | 1 큰 수 |
|---|---|---|
| **77** | 78 | **79** |

(2) | 1 작은 수 | | 1 큰 수 |
|---|---|---|
| **93** | 94 | **95** |

11 ★에 알맞은 수를 구하세요.

★보다 1 큰 수는 90입니다.

(**89**)

12 ㉠에 알맞은 수를 쓰고 읽어 보세요.

| 98 | 99 | ㉠ |

쓰기 (**100**)
읽기 (**백**)

13 크기를 비교하여 ☐ 안에 >, <를 알맞게 써넣으세요.

(1) 85 **>** 79

(2) 육십사 **<** 예순일곱

14 가장 큰 수에 ○표, 가장 작은 수에 △표 하세요.

△84   ○95   87

15 가장 큰 수를 찾아 기호를 쓰세요.

㉠ 87   ㉡ 79
㉢ 62   ㉣ 91

(**㉣**)

16 색종이를 민수는 75장 가지고 있고, 지혜는 72장 가지고 있습니다. 색종이를 더 많이 가지고 있는 사람은 누구일까요?

(**민수**)

17 ☐ 안에 알맞은 수를 쓰고, 짝수인지 홀수인지 ○표 하세요.

28 개. (**짝수**). 홀수

18 ☐ 안에 알맞은 수를 써넣으세요.

| 68 | 57 | 46 |
| 29 | 41 | 30 |

짝수: **68** . **46** . **30**

홀수: **57** . **29** . **41**

19 수 배열표에서 ㉠에 알맞은 수는 짝수인지 홀수인지 쓰세요.

15	16	17		
21	22		25	
27	28	29	30	3㉠	32

(**홀수**)

20 다음에서 설명하는 수는 모두 몇 개일까요?

• 짝수입니다.
• 4보다 큰 수입니다.
• 15보다 작은 수입니다.

(**5**)개

→ 6, 8, 10, 12, 14

01 세 수의 덧셈

정답 09쪽

$3 + 2 + 4$ ⇒ $3 + 2 + 4 = 9$

1 보기 와 같은 방법으로 덧셈을 해 보세요.

보기

$4 + 1 + 3$ ⇒ $4 + 1 + 3$ ⇒ $4 + 1 + 3 = 8$

$1 + 5 + 2 = 8$
6
8

$3 + 4 + 1 = 8$
7
8

$3 + 5 + 1 = 9$
8
9

$2 + 4 + 3 = 9$
6
9

$4 + 3 + 2 = 9$
7
9

$5 + 2 + 2 = 9$
7
9

2 보기 와 같은 방법으로 덧셈을 해 보세요.

보기

$4 + 2 + 3$ ⇒ $4 + 2 + 3$ ⇒ $4 + 2 + 3 = 9$
5
9

 $3 + 4 + 2 = 9$
6
9

 $5 + 3 + 1 = 9$
4
9

 $6 + 1 + 2 = 9$
3
9

 $2 + 3 + 4 = 9$
7
9

 $1 + 2 + 6 = 9$
8
9

 $2 + 5 + 1 = 8$
6
8

 $4 + 2 + 2 = 8$
4
8

 $1 + 5 + 3 = 9$
8
9

 $2 + 6 + 1 = 9$
7
9

3 보기 와 같은 방법으로 덧셈을 해 보세요.

보기

$3 + 2 + 4$ ⇒ $3 + 2 + 4$ ⇒ $3 + 2 + 4 = 9$
7
9

$2 + 1 + 4 = 7$
6
7

$3 + 1 + 2 = 6$
5
6

$2 + 4 + 2 = 8$
4
8

$4 + 2 + 1 = 7$
5
7

$1 + 3 + 5 = 9$
6
9

$2 + 3 + 3 = 8$
5
8

$3 + 1 + 3 = 7$
6
7

$6 + 2 + 1 = 9$
7
9

$3 + 1 + 4 = 8$
7
8

4 세 수의 덧셈을 해 보세요.

4 / 7 / 5 / 1
4+2+1

2 / 9 / 5 / 2

5 / 9 / 1 / 3

3 / 9 / 4 / 2

1 / 6 / 4

4 / 8 / 2 / 2

1 / 8 / 5 / 2

6 / 8 / 1 / 1

2 / 8 / 3 / 3

2 / 7 / 2 / 3

3 / 8 / 4 / 1

2 / 9 / 1 / 6

02 세 수의 뺄셈

정답 10쪽

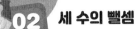

$8 - 4 - 2$ → $8 - 4 - 2$ → $8 - 4 - 2 = 2$

① ／로 지우며 뺄셈을 해 보세요.

$9 - 4 - 3 = 2$

$7 - 3 - 2 = 2$

$5 - 1 - 3 = 1$

$7 - 2 - 4 = 1$　　$8 - 4 - 1 = 3$　　$6 - 1 - 2 = 3$

$8 - 3 - 1 = 4$　　$5 - 2 - 2 = 1$　　$9 - 5 - 3 = 1$

$6 - 3 - 1 = 2$　　$9 - 2 - 6 = 1$　　$7 - 1 - 5 = 1$

08

② 안에 알맞은 수를 써넣으세요.

$8 - 4 - 3 = 1$　　$9 - 3 - 2 = 4$　　$7 - 3 - 4 = 0$
　4　　　　　　　6　　　　　　　4
　　1　　　　　　　4　　　　　　　0

$6 - 1 - 3 = 2$　　$5 - 2 - 2 = 1$　　$4 - 2 - 1 = 1$
　5　　　　　　　3　　　　　　　2
　　2

$6 - 2 - 3 = 1$　　$7 - 2 - 3 = 2$　　$9 - 3 - 5 = 1$
　4　　　　　　　5　　　　　　　6
　　1　　　　　　　2　　　　　　　1

$5 - 1 - 2 = 2$　　$8 - 1 - 5 = 2$　　$7 - 5 - 2 = 0$
　4　　　　　　　7　　　　　　　2
　　2　　　　　　　2　　　　　　　0

09

③ 세 수의 뺄셈을 해 보세요.

$6 - 1 - 2 = 3$　　$8 - 2 - 5 = 1$　　$7 - 4 - 2 = 1$

$7 - 2 - 4 = 1$　　$5 - 3 - 1 = 1$　　$6 - 3 - 2 = 1$

$9 - 5 - 3 = 1$　　$4 - 1 - 2 = 1$　　$5 - 1 - 2 = 2$

$8 - 1 - 5 = 2$　　$7 - 3 - 1 = 3$　　$9 - 2 - 3 = 4$

$6 - 2 - 3 = 1$　　$9 - 3 - 4 = 2$　　$7 - 5 - 1 = 1$

$8 - 3 - 1 = 4$　　$6 - 4 - 1 = 1$　　$4 - 2 - 1 = 1$

$9 - 4 - 2 = 3$　　$8 - 2 - 4 = 2$　　$9 - 6 - 1 = 2$

10

④ 덧셈과 뺄셈을 해 보세요.

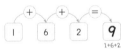

1　6　2　9　　7　2　1　4
　1+6+2　　　　7-2-1

3　4　1　8　　6　3　2　1

5　2　2　9　　9　2　5　2

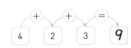

4　2　3　9　　8　2　4　2

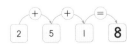

2　5　1　8　　5　1　3　1

11

10

03　10이 되는 더하기

정답 11쪽

$3+7=10$　　$4+6=10$　　$5+5=10$

 더해서 10이 되는 두 수를 이용하여 덧셈식을 완성해 보세요.

$1+9=10$　　$2+8=10$　　$3+7=10$

$4+6=10$　　$5+5=10$　　$6+4=10$

$7+3=10$　　$8+2=10$　　$9+1=10$

$5+5=10$　　$3+7=10$　　$7+3=10$

② 10이 되도록 ◯를 그리고 덧셈식을 완성해 보세요.

$7+3=10$　　$5+5=10$　　$3+7=10$

$6+4=10$　　$8+2=10$　　$2+8=10$

$4+6=10$　　$9+1=10$　　$1+9=10$

$8+2=10$　　$3+7=10$　　$5+5=10$

$7+3=10$　　$6+4=10$　　$2+8=10$

$9+1=10$　　$4+6=10$　　$1+9=10$

③ 안에 알맞은 수를 써넣으세요.

$1+9=10$　　$3+7=10$　　$5+5=10$

$3+7=10$　　$1+9=10$　　$7+3=10$

$9+1=10$　　$8+2=10$　　$4+6=10$

$6+4=10$　　$7+3=10$　　$2+8=10$

$5+5=10$　　$6+4=10$　　$9+1=10$

$4+6=10$　　$7+3=10$　　$2+8=10$

$10+0=10$　　$8+2=10$　　$0+10=10$

④ 합이 10이 되는 곳을 따라 선을 그어 보세요.

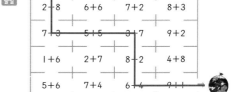

8+2	3+7	6+5	9+2
3+6	5+5	2+7	8+4
7+5	6+4	9+1	5+6
4+9	7+2	7+3	2+8
6+8	7+4	8+3	4+6

4+6	3+5	9+4	5+7
2+8	6+6	7+2	8+3
7+3	5+5	3+7	9+2
1+6	2+7	8+2	4+8
5+6	7+4	6+4	9+1

04 10에서 빼기

정답 12쪽

 10−1=9   10−3=7   10−5=5

1 10에서 빼기를 하여 뺄셈식을 완성해 보세요.

10−1= **9**   10−2= **8**   10−3= **7**

10−4= **6**   10−5= **5**   10−6= **4**

10−7= **3**   10−8= **2**   10−9= **1**

10−3= **7**   10−6= **4**   10−2= **8**

2 ／로 지우며 뺄셈식을 완성해 보세요.

10−2= **8**   10−7= **3**   10−6= **4**

10−1= **9**   10−3= **7**   10−8= **2**

10−6= **4**   10−9= **1**   10−5= **5**

10−7= **3**   10−2= **8**   10−4= **6**

10−5= **5**   10−8= **2**   10−3= **7**

10−4= **6**   10−1= **9**   10−9= **1**

3 식을 보고 ／로 지우며 뺄셈식을 완성해 보세요.

보기

10− = 8   ➡   10− **2** = 8

10− **1** = 9   10− **6** = 4   10− **9** = 1

10− **4** = 6   10− **5** = 5   10− **7** = 3

10− **2** = 8   10− **8** = 2   10− **1** = 9

10− **3** = 7   10− **4** = 6   10− **6** = 4

4 안에 알맞은 수를 써넣으세요.

10−2= **8**   10−6= **4**   10−4= **6**

10−3= **7**   10−7= **3**   10−5= **5**

10−9= **1**   10−8= **2**   10−1= **9**

10− **5** =5   10− **7** =3   10− **4** =6

10− **8** =2   10− **3** =7   10− **9** =1

10− **2** =8   10− **6** =4   10− **1** =9

10− **7** =3   10− **8** =2   10− **5** =5

05 10을 만들어 더하기

정답 13쪽

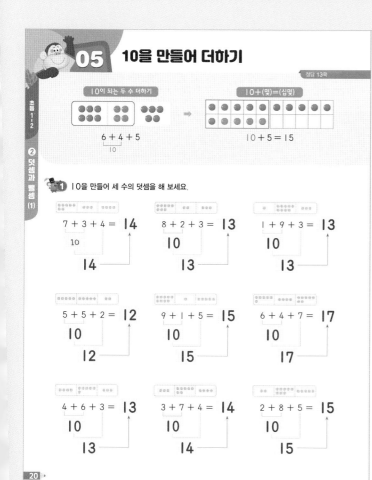

10이 되는 두 수 더하기 → 10+(몇)=(십몇)

6 + 4 + 5
10

10 + 5 = 15

1 10을 만들어 세 수의 덧셈을 해 보세요.

7 + 3 + 4 = 14
10
14

8 + 2 + 3 = 13
10
13

1 + 9 + 3 = 13
10
13

5 + 5 + 2 = 12
10
12

9 + 1 + 5 = 15
10
15

6 + 4 + 7 = 17
10
17

4 + 6 + 3 = 13
10
13

3 + 7 + 4 = 14
10
14

2 + 8 + 5 = 15
10
15

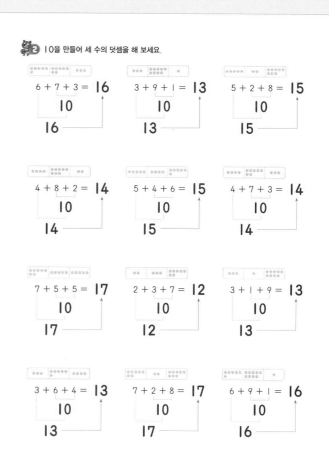

2 10을 만들어 세 수의 덧셈을 해 보세요.

6 + 7 + 3 = 16
10
16

3 + 9 + 1 = 13
10
13

5 + 2 + 8 = 15
10
15

4 + 8 + 2 = 14
10
14

5 + 4 + 6 = 15
10
15

4 + 7 + 3 = 14
10
14

7 + 5 + 5 = 17
10
17

2 + 3 + 7 = 12
10
12

3 + 1 + 9 = 13
10
13

3 + 6 + 4 = 13
10
13

7 + 2 + 8 = 17
10
17

6 + 9 + 1 = 16
10
16

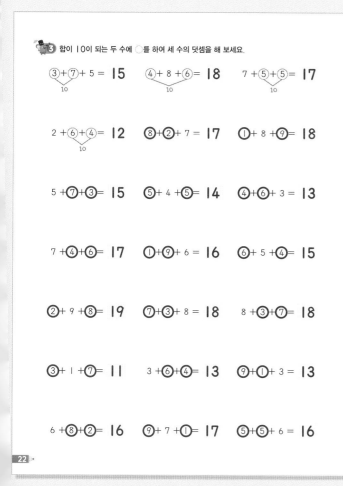

3 합이 10이 되는 두 수에 ◯를 하여 세 수의 덧셈을 해 보세요.

③+⑦+ 5 = 15
10

④+ 8 +⑥= 18
10

7 +⑤+⑤= 17
10

2 +⑥+④= 12
10

⑧+②+ 7 = 17

①+ 8 +⑨= 18

5 +⑦+③= 15

⑤+ 4 +⑤= 14

④+⑥+ 3 = 13

7 +④+⑥= 17

①+⑨+ 6 = 16

⑥+ 5 +④= 15

②+ 9 +⑧= 19

⑦+③+ 8 = 18

8 +③+⑦= 18

③+ 1 +⑦= 11

3 +⑥+④= 13

⑨+①+ 3 = 13

6 +⑧+②= 16

⑨+ 7 +①= 17

⑤+⑤+ 6 = 16

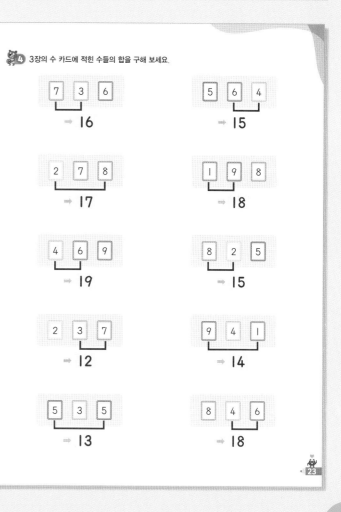

4 3장의 수 카드에 적힌 수들의 합을 구해 보세요.

7 3 6
⇒ 16

5 6 4
⇒ 15

2 7 8
⇒ 17

1 9 8
⇒ 18

4 6 9
⇒ 19

8 2 5
⇒ 15

2 3 7
⇒ 12

9 4 1
⇒ 14

5 3 5
⇒ 13

8 4 6
⇒ 18

도전! 응용 문제

정답 14쪽

유형 1

꽃병에 장미 ③송이, 국화 ④송이, 백합 ②송이가 꽂혀 있습니다. 꽃병에 꽂혀 있는 꽃은 모두 몇 송이일까요?

■ 주어진 수에 ○표 하고, 구하는 것에 밑줄 치기
장미 수: **3** 송이, 국화 수: **4** 송이, 백합 수: **2** 송이

■ 문제 해결하기
장미 수와 국화 수를 (더한, 뺀) 수에 백합 수를 (더합니다, 뺍니다).

■ 문제 풀기
(꽃병에 꽂혀 있는 꽃 수)=(장미 수)+(국화 수)+(백합 수)
= **3** + **4** + **2** = **9** (송이)

■ 답 쓰기 꽃병에 꽂혀 있는 꽃은 모두 **9** 송이입니다.

유형 1⁺

은지는 파란 공 ⑧개와 빨간 공 ②개, 노란 공 ⑦개를 가지고 있습니다. 은지가 가지고 있는 공은 모두 몇 개일까요?

■ 주어진 수에 ○표 하고, 구하는 것에 밑줄 치기
파란 공 수: **8** 개, 빨간 공 수: **2** 개, 노란 공 수: **7** 개

■ 문제 해결하기
10이 되는 두 수 (⑧ ② 7)을(를) 먼저 더하여 계산합니다.

■ 문제 풀기
(은지가 가진 공 수)=(파란 공 수)+(빨간 공 수)+(노란 공 수)
= **8** + **2** + **7** = 10+ **7** = **17** (개)
└─10─┘

■ 답 쓰기 은지가 가지고 있는 공은 모두 **17** 개입니다.

유형 2

귤 ⑨개 중에서 민지는 ④개를, 수아는 ②개를 먹었습니다. 남은 귤은 몇 개일까요?

■ 주어진 수에 ○표 하고, 구하는 것에 밑줄 치기
전체 귤 수: **9** 개, 민지가 먹은 귤 수: **4** 개, 수아가 먹은 귤 수: **2** 개

■ 문제 해결하기
전체 귤 수에서 민지가 먹은 귤 수를 (더한, 뺀) 수에서 수아가 먹은 귤 수를 (더합니다, 뺍니다).

■ 문제 풀기
(남은 귤 수)=(전체 귤 수)-(민지가 먹은 귤 수)-(수아가 먹은 귤 수)
= **9** - **4** - **2** = **3** (개)

■ 답 쓰기 남은 귤은 **3** 개입니다.

유형 2⁺

슬기네 모둠은 학생이 모두 ⑩명입니다. 그중에서 여학생이 ④명이라면 남학생은 몇 명일까요?

■ 주어진 수에 ○표 하고, 구하는 것에 밑줄 치기
모둠 학생 수: **10** 명, 여학생 수: **4** 명

■ 문제 해결하기
모둠 학생 수에서 여학생 수를 (더합니다, 뺍니다).

■ 문제 풀기
(남학생 수)=(모둠 학생 수)-(여학생 수)
= **10** - **4** = **6** (명)

■ 답 쓰기 슬기네 모둠 남학생은 **6** 명입니다.

● ☐ 안에 알맞은 수를 써넣고, 답을 구하세요.

1 Drill

사탕을 호야는 1개, 수아는 6개, 지나는 2개 먹었습니다. 세 사람이 먹은 사탕은 모두 몇 개일까요?

주어진 수에 ○표 하고, 구하는 것에 밑줄 짝!

풀이 (세 사람이 먹은 사탕 수)=(호야가 먹은 수)+(수아가 먹은 수)+(지나가 먹은 수)
= **1** + **6** + **2** = **9** (개) 답 **9** 개

2 Drill

희수는 가게에서 사이다 3병, 콜라 4병, 주스 6병을 샀습니다. 희수가 산 음료수는 모두 몇 병일까요?

풀이 (희수가 산 음료수 수)=(사이다 수)+(콜라 수)+(주스 수)
= **3** + **4** + **6** = **13** (병) 답 **13** 병
└─10─┘

3 Drill

버스에 8명이 타고 있었습니다. 첫 번째 정류장에서 4명이 내리고, 두 번째 정류장에서 3명이 내렸습니다. 지금 버스에 남아 있는 사람은 몇 명일까요?

풀이 (버스에 남아 있는 사람 수)=(처음에 있던 사람 수)-(첫 번째 정류장에서 내린 사람 수)
-(두 번째 정류장에서 내린 사람 수)
= **8** - **4** - **3** = **1** (명) 답 **1** 명

4 Drill

초콜릿이 10개 있었습니다. 그중에서 3개를 먹었다면 남은 초콜릿은 몇 개일까요?

풀이 (남은 초콜릿 수)=(처음에 있던 초콜릿 수)-(먹은 초콜릿 수)
= **10** - **3** = **7** (개) 답 **7** 개

● 서술형 문제를 읽고 풀이 과정과 답을 쓰세요.

도전 1

유나네 농장에는 소 5마리, 돼지 2마리, 염소 2마리가 있습니다. 유나네 농장에 있는 동물은 모두 몇 마리일까요?

예 풀이 (농장에 있는 동물 수)=(소의 수)+(돼지 수)+(염소 수)
=5+2+2=9(마리) 답 **9마리**

도전 2

동하는 한 달 동안 동화책 7권, 위인전 5권, 만화책 3권을 읽었습니다. 동하가 한 달 동안 읽은 책은 모두 몇 권일까요?

예 풀이 (한 달 동안 읽은 책 수)=(동화책 수)+(위인전 수)+(만화책 수)
=7+5+3=15(권) 답 **15권**
└──10──┘

도전 3

사과 9개 중에서 윤기는 2개, 윤아는 5개를 먹었습니다. 남은 사과는 몇 개일까요?

예 풀이 (남은 사과 수)
=(전체 사과 수)-(윤기가 먹은 수)-(윤아가 먹은 수)
=9-2-5=2(개) 답 **2개**

도전 4

공원에 비둘기가 10마리 있었는데 잠시 후 6마리가 날아갔습니다. 남은 비둘기는 몇 마리일까요?

예 풀이 (남은 비둘기 수)=(처음에 있던 비둘기 수)-(날아간 비둘기 수)
=10-6=4(마리) 답 **4마리**

형성 평가

정답 15쪽 분 점수 점

[01~03] 그림을 보고 알맞게 덧셈을 해 보세요.

01

$4 + 1 + 3 = 8$
5
8

02

$2 + 4 + 3 = 9$
7
9

03

$3 + 1 + 5 = 9$
8
9

04 세 수의 덧셈을 해 보세요.

(1)
3 / 1 **7** 3

(2)
2 / 4 **8** 2

05 ╱로 지우며 뺄셈을 해 보세요.

(1)
$7 - 2 - 3 = 2$

(2)
$9 - 3 - 4 = 2$

06 　안에 알맞은 수를 써넣으세요.

(1) $9 - 4 - 2 = 3$
5
3

(2) $8 - 2 - 3 = 3$
6
3

07 세 수의 뺄셈을 해 보세요.

$7 - 1 - 4 = 2$

08 덧셈과 뺄셈을 해 보세요.

(1)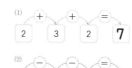
2 + 3 + 2 = **7**

(2) 9 − 2 − 3 = **4**

09 더해서 10이 되는 두 수를 이용하여 덧셈식을 완성해 보세요.

$6 + 4 = 10$

10 10이 되도록 ◯를 그리고 덧셈식을 완성해 보세요.

(1)

$7 + 3 = 10$

(2)

$2 + 8 = 10$

28 ・　　　　　　　　　　　　・ 29

11 　안에 알맞은 수를 써넣으세요.

(1) $5 + 5 = 10$

(2) $1 + 9 = 10$

12 덧셈한 결과가 다른 것에 ◯표 하세요.

2+8　7+3　4+6

⑤+6　9+1

13 10에서 빼기를 하여 뺄셈식을 완성해 보세요.

(1)
$10 - 4 = 6$

(2)
$10 - 6 = 4$

14 ╱로 지우며 뺄셈식을 완성해 보세요.

(1)
$10 - 7 = 3$

(2)
$10 - 3 = 7$

15 뺄셈한 결과가 가장 큰 것의 기호를 쓰세요.

㉠ 10−6　㉡ 10−8
㉢ 10−2　㉣ 10−4

(㉢)

16 　안에 알맞은 수를 써넣으세요.

(1) $10 - 5 = 5$

(2) $10 - 9 = 1$

17 10을 만들어 세 수의 덧셈을 해 보세요.

$8 + 2 + 5 = 15$
10
15

18 10을 만들어 세 수의 덧셈을 해 보세요.

$7 + 4 + 6 = 17$
10
17

19 합이 10이 되는 두 수에 ◯를 하여 세 수의 덧셈을 해 보세요.

(1) ③+⑦+ 4 = **14**

(2) 2 +⑤+⑤= **12**

(3) ⑨+ 4 +① = **14**

(4) 7 +②+⑧= **17**

(5) ⑥+④+ 9 = **19**

20 3장의 수 카드에 적힌 수들의 합을 구해 보세요.

(1)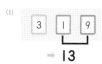
3 1 9
➡ **13**

(2)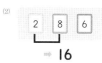
2 8 6
➡ **16**

30 ・　　　　　　　　　　　　・ 31

단원 평가 **2. 덧셈과 뺄셈(1)**
정답 16쪽

1 그림을 보고 알맞은 덧셈식을 쓰세요.

$2 + 4 + 3 = 9$

또는 $2+3+4=9$

2 그림을 보고 ⬜ 안에 알맞은 수를 써넣으세요.

$9 - 3 - 2 = 4$

3 계산을 하세요.

(1) $5+2+1 = 8$

(2) $8-2-4 = 2$

4 10이 되도록 빈 곳에 ◯를 그리고 ⬜ 안에 알맞은 수를 써넣으세요.

$3 + 7 = 10$

5 그림을 보고 ⬜ 안에 알맞은 수를 써넣으세요.

(1)

$4 + 6 = 10$

(2)
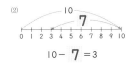

$10 - 7 = 3$

6 ⬜ 안에 알맞은 수를 써넣으세요.

7 빈 곳에 알맞은 수를 써넣으세요.

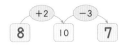

8 합이 10이 되는 두 수를 ◯로 묶고, 세 수의 합을 구하세요.

(1)

(14)

(2)

(19)

9 밑줄 친 두 수의 합이 10이 되도록 ⬜ 안에 수를 써넣고 식을 완성하세요.

(1) $1 + 9 + 3 = 13$

(2) $7 + 5 + 5 = 17$

10 ⬜ 안에 알맞은 수를 써넣으세요.

(1) $8 + 2 = 10$

(2) $10 - 9 = 1$

---

11 ㉠과 ㉡의 합을 구하세요.

- $10 - ㉠ = 7$
- $㉡ + 4 = 10$

(9)

㉠ 3 ㉡ 6

12 ⬜ 안에 들어갈 수가 같은 것을 찾아 기호를 쓰세요.

㉠ $3 + ⬜ = 10$ ㉡ $⬜ + 4 = 10$
㉢ $10 - ⬜ = 5$ ㉣ $10 - ⬜ = 3$

(㉠, ㉣)

㉠ 7 ㉡ 6 ㉢ 5 ㉣ 7

13 세 수의 합이 18이 되도록 빈 곳에 알맞은 수를 써넣으세요.

14 1반이 다른 반과 야구 경기를 한 결과입니다. 1반이 득점한 점수의 합을 구하세요.

1반	2반	1반	3반	1반	4반
3	4	2	1	4	2

(9)점

1반의 득점: $3+2+4=9$(점)

15 계산 결과가 홀수인 것을 찾아 기호를 쓰세요.

㉠ $3+2+3$ ㉡ $4+1+3$
㉢ $7-1-3$ ㉣ $9-4-3$

(㉢)

㉠ 8 ㉡ 8 ㉢ 3 ㉣ 2

16 주사위 3개를 던져서 나온 눈입니다. 나온 눈의 수의 합을 구하세요.

(13)

17 동석이는 빨간색 구슬 7개, 파란색 구슬 3개, 초록색 구슬 5개를 가지고 있습니다. 동석이가 가지고 있는 구슬은 모두 몇 개인지 풀이 과정을 쓰고 답을 구하세요.

예 **풀이** (동석이가 가지고 있는 구슬)
= (빨간색) + (파란색) + (초록색)
= $7+3+5=15$(개)

답 15개

18 재호는 7살이고 누나는 재호보다 3살 많습니다. 동생이 누나보다 5살 적다면 동생은 몇 살입니까?

(5)살

누나: 재호 $+3=7+3=10$(살)
동생: 누나 $-5=10-5=5$(살)

19 계산 결과가 같은 것끼리 선으로 이어 보세요.

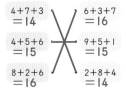

20 수 카드 중에서 2장을 골라 ⬜ 안에 넣어 식을 완성하려고 합니다. 어떤 수가 쓰인 카드를 골라야 할까요?

$⬜ + 6 + ⬜ = 16$

(2 , 8)
또는 (8, 2)

01 여러 가지 모양 찾기

청답 17쪽

■. △. ● 모양 찾기

1 모아 놓은 모양을 찾아 ○표 하세요.

2 주어진 모양과 같은 모양을 모두 찾아 ○표 하세요.

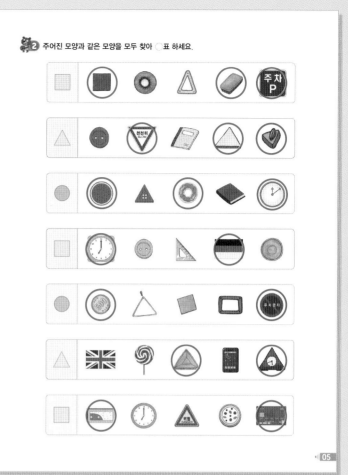

3 모양이 다른 하나를 찾아 ×표 하세요.

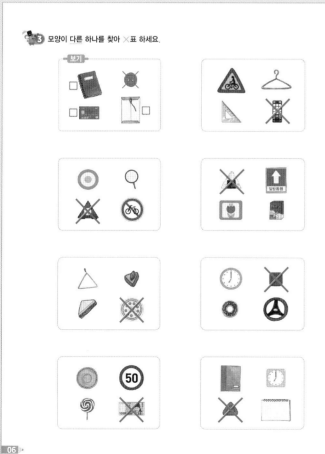

4 각 모양의 수를 세어 안에 알맞은 수를 써넣으세요.

■ 모양: **5** 개   △ 모양: **3** 개   ● 모양: **6** 개

■ 모양: **5** 개   △ 모양: **4** 개   ● 모양: **4** 개

02 여러 가지 모양

정답 18쪽

■, ▲, ● 모양

초등 1·2
3 모양과 시각

- 뾰족한 곳이 4군데 있습니다.
- 곧은 선이 4개 있습니다.

- 뾰족한 곳이 3군데 있습니다.
- 곧은 선이 3개 있습니다.

- 뾰족한 곳이 없습니다.
- 둥근 부분이 있습니다.

1 뾰족한 곳에 ○표 하고, ☐ 안에 알맞은 수를 써넣으세요.

■ 모양은 뾰족한 곳이 **4** 군데입니다.

▲ 모양은 뾰족한 곳이 **3** 군데입니다.

● 모양은 뾰족한 곳이 **0** 군데입니다.

2 다음 물건의 바닥면에 물감을 묻혀 찍을 때 나오는 모양을 찾아 ○표 하세요.

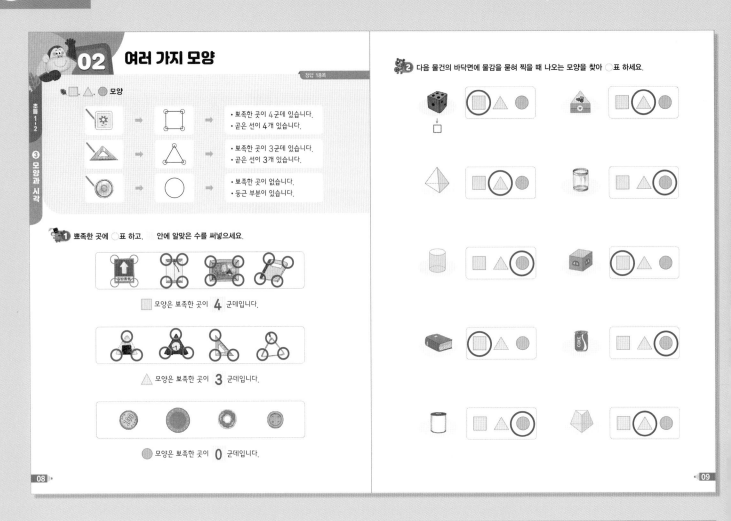

3 오른쪽 그림은 물건을 본뜬 모양입니다. 알맞게 이어 보세요.

4 설명하는 모양을 모두 찾아 ○표 하세요.

뾰족한 곳이 없습니다.
● 모양을 찾습니다.

곧은 선이 3개 있습니다.
▲ 모양을 찾습니다.

곧은 선이 4개 있습니다.

뾰족한 곳이 4군데 있습니다.

뾰족한 곳이 3군데 있습니다.

둥근 부분이 있습니다.

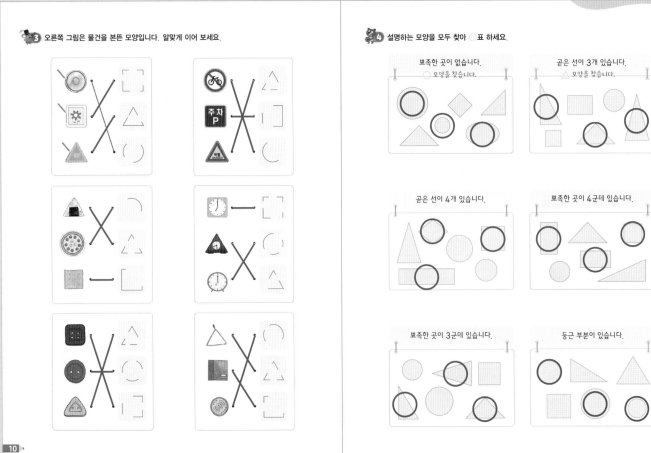

03 여러 가지 모양 꾸미기

■. ▲. ● 모양으로 꾸미기

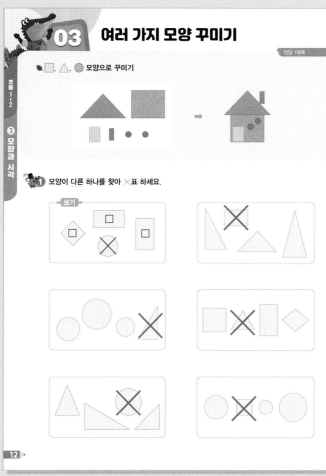

1 모양이 다른 하나를 찾아 ✕표 하세요.

2 모양을 꾸미는데 사용한 모양에 모두 ○표 하세요.

3 사용한 모양의 개수를 세어 ◯ 안에 써넣으세요.

모양	개수
■	2 개
▲	4 개
●	2 개

모양	개수
■	2 개
▲	3 개
●	3 개

모양	개수
■	6 개
▲	2 개
●	3 개

모양	개수
■	1 개
▲	6 개
●	2 개

모양	개수
■	3 개
▲	5 개
●	12 개

모양	개수
■	4 개
▲	2 개
●	7 개

4 주어진 모양을 모두 사용하여 만들 수 있는 모양에 ○표 하세요.

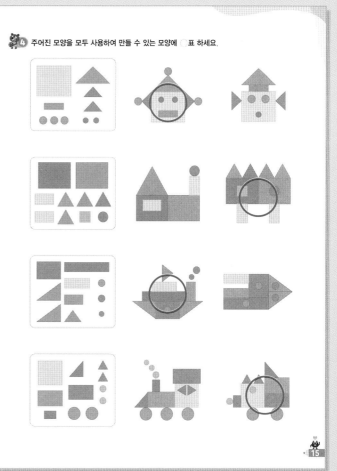

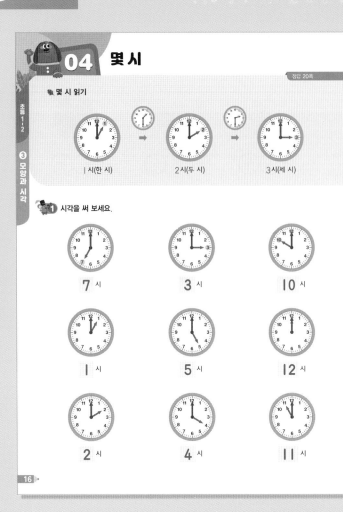

04 몇 시

정답 20쪽

몇 시 읽기

1시(한 시) → 2시(두 시) → 3시(세 시)

1 시각을 써 보세요.

7 시   3 시   10 시

1 시   5 시   12 시

2 시   4 시   11 시

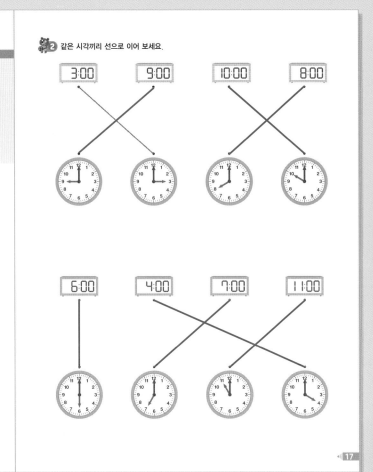

2 같은 시각끼리 선으로 이어 보세요.

3:00   9:00   10:00   8:00

6:00   4:00   7:00   11:00

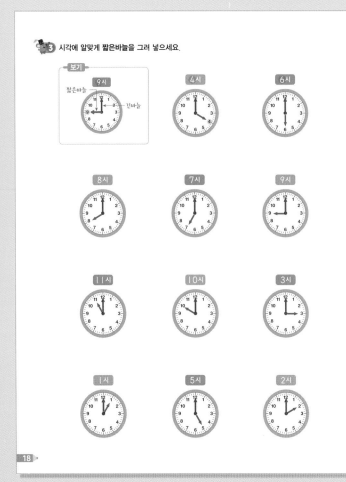

3 시각에 알맞게 짧은바늘을 그려 넣으세요.

보기
9시
짧은바늘 / 긴바늘

4시   6시

8시   7시   9시

11시   10시   3시

1시   5시   2시

4 길을 따라가며 시각에 알맞게 시곗바늘을 그려 넣으세요.

11시   1시   8시

3시   6시   5시

7시   10시   4시

2시   9시

05 몇 시 30분

정답 21쪽

초등 1·2
③ 모양과 시각

몇 시 30분 읽기

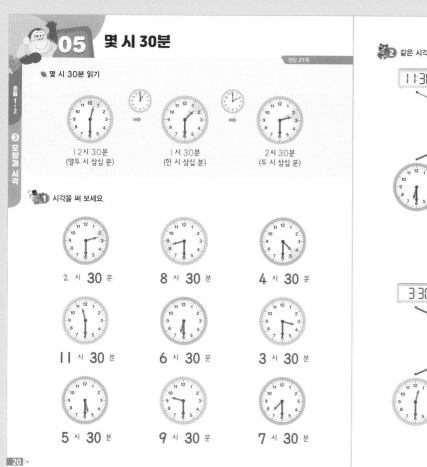

시각을 써 보세요.

2 시 30 분
8 시 30 분
4 시 30 분

11 시 30 분
6 시 30 분
3 시 30 분

5 시 30 분
9 시 30 분
7 시 30 분

같은 시각끼리 선으로 이어 보세요.

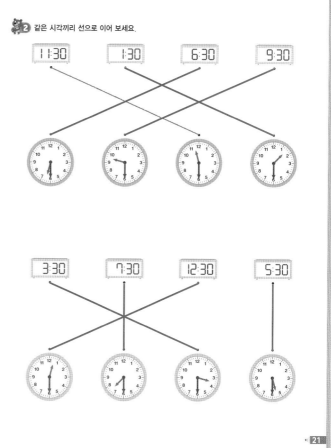

시각에 알맞게 시곗바늘을 그려 넣으세요.

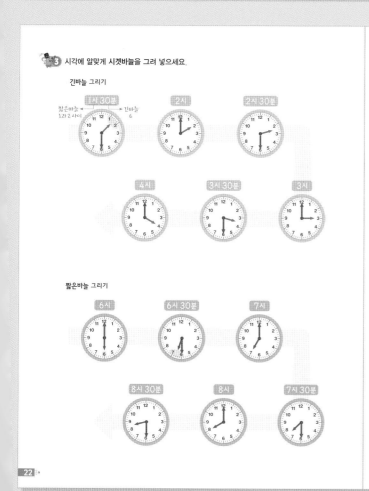

시각에 알맞게 시곗바늘을 그려 넣으세요.

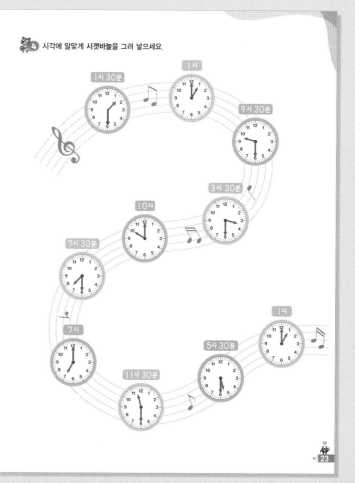

도전!
응용 문제

정답 22쪽

| 짧은바늘 ➡ 9 | 짧은바늘 ➡ 9와 10 사이 |
| 긴바늘 ➡ 12 | 긴바늘 ➡ 6 |

 ➡ 9시

 ➡ 9시 30분

응용 ❶ 시곗바늘을 그리고 시각을 써 보세요.

| 짧은바늘 ➡ 8 | 짧은바늘 ➡ 5와 6 사이 |
| 긴바늘 ➡ 12 | 긴바늘 ➡ 6 |

 ➡ 8 시

➡ 5 시 30 분

| 짧은바늘 ➡ 2 | 짧은바늘 ➡ 3과 4 사이 |
| 긴바늘 ➡ 12 | 긴바늘 ➡ 6 |

 ➡ 2 시

➡ 3 시 30 분

응용 ❷ 시각을 써 보세요.

| 짧은바늘 ➡ 6 | 짧은바늘 ➡ 1과 2 사이 |
| 긴바늘 ➡ 12 | 긴바늘 ➡ 6 |

➡ 6 시

➡ 1 시 30 분

| 짧은바늘 ➡ 7과 8 사이 | 짧은바늘 ➡ 12와 1 사이 |
| 긴바늘 ➡ 6 | 긴바늘 ➡ 6 |

➡ 7 시 30 분

➡ 12 시 30 분

| 짧은바늘 ➡ 2와 3 사이 | 짧은바늘 ➡ 11 |
| 긴바늘 ➡ 6 | 긴바늘 ➡ 12 |

➡ 2 시 30 분

➡ 11 시

| 짧은바늘 ➡ 5 | 짧은바늘 ➡ 6과 7 사이 |
| 긴바늘 ➡ 12 | 긴바늘 ➡ 6 |

➡ 5 시

➡ 6 시 30 분

| 짧은바늘 ➡ 10과 11 사이 | 짧은바늘 ➡ 3 |
| 긴바늘 ➡ 6 | 긴바늘 ➡ 12 |

➡ 10 시 30 분

➡ 3 시

24

25

응용 ❸ 그림을 보고 보기 와 같이 문장을 완성해 보세요.

보기

아침 8시에
양치를 했습니다.

8 시 30 분에
아침을 먹었습니다.

예 아침 9 시에
학교 에 갑니다.

예 3 시 30 분에
축구 를 했습니다.

예 4시 30분에
피아노를 쳤습니다.

예 5시 30분에
책을 읽었습니다.

응용 ❹ 보기 와 같이 시각을 나타내고, 문장을 완성해 보세요.

보기

저녁 6시에
텔레비전을 봅니다.

아침 11시 30분에
수영 을 합니다.

예 저녁 5시에
숙제 를 했습니다.

예 낮 2시 30분에
줄넘기 를 했습니다.

예 낮 12시 30분에
그네를 탔습니다.

예 밤 9시에
잠을 잡니다.

26

27

형성 평가

01 모아 놓은 모양을 찾아 ◯표 하세요.

(1)

(□ . △ . ◯)

(2)

(□ . △ . ◯)

02 주어진 모양과 같은 모양을 모두 찾아 ◯표 하세요.

(1)

(2)

03 모양이 다른 하나를 찾아 ✕표 하세요.

04 □모양은 몇 개일까요?

(**3**)개

05 뾰족한 곳에 ◯표 하고, ☐ 안에 알맞은 수를 써넣으세요.

☐모양은 뾰족한 곳이
4 군데입니다.

06 물건의 바닥면에 물감을 묻혀 찍을 때 나오는 모양을 찾아 ◯표 하세요.

(1)

□ △ ◯

(2)

◯ △ ◯

07 오른쪽 그림은 물건을 본뜬 모양입니다. 알맞게 이어 보세요.

[08~09] 설명하는 모양을 모두 찾아 ◯표 하세요.

08 곧은 선이 **4**개 있습니다.

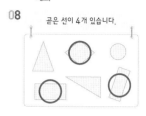

09 뾰족한 곳이 **3**군데 있습니다.

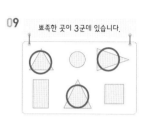

10 모양을 꾸미는데 사용한 모양에 모두 ◯표 하세요.

(◯ . △ . ◯)

11 사용한 모양의 개수를 세어 ☐ 안에 써넣으세요.

모양	개수
□	**5** 개
△	**2** 개
◯	**3** 개

12 주어진 모양을 모두 사용하여 만들 수 있는 모양에 ◯표 하세요.

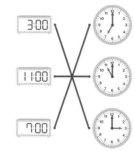

13 시각을 써 보세요.

(1)

(2)

8 시   **4** 시

14 같은 시각끼리 선으로 이어 보세요.

15 시각에 알맞게 짧은바늘을 그려 넣으세요.

(1) 5시   (2) 9시

16 시각에 알맞게 시곗바늘을 그려 넣으세요.

(1) 2시   (2) 10시

17 시각을 써 보세요.

10 시 **30** 분

18 같은 시각끼리 선으로 이어 보세요.

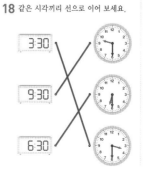

19 시각에 알맞게 긴바늘 또는 짧은바늘을 그려 넣으세요.

(1) 4시 30분

(2) 8시 30분

20 시각에 알맞게 시곗바늘을 그려 넣으세요.

(1) 5시 30분

(2) 11시 30분

단원평가 3. 모양과 시각

정답 24쪽

[1~3] 물건을 보고 물음에 답하세요.

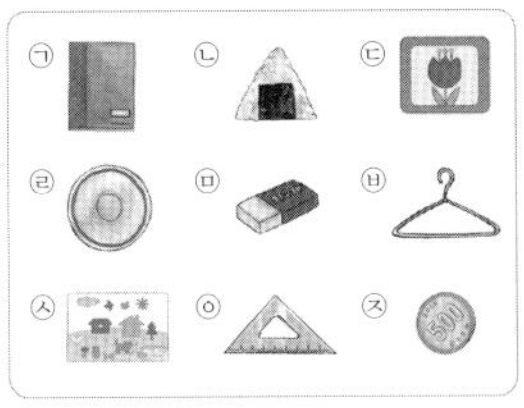

1 □ 모양의 물건을 모두 찾아 기호를 쓰세요.

㉠, ㉢, ㉤, ㉦

2 △ 모양의 물건을 모두 찾아 기호를 쓰세요.

(㉡, ㉥, ㉧)

3 ○ 모양의 물건을 모두 찾아 기호를 쓰세요.

(㉣, ㉨)

4 왼쪽과 같은 모양을 모두 찾아 색칠하세요.

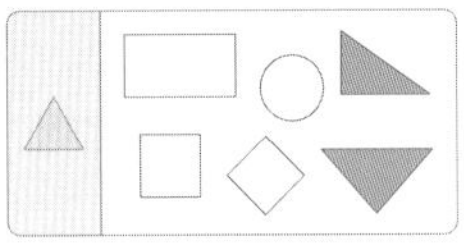

5 물감을 묻혀 찍기를 할 때 나올 수 없는 모양을 찾아 ×표 하세요.

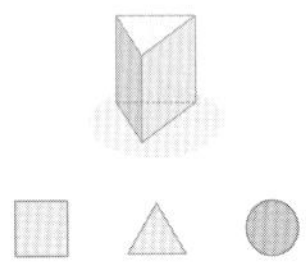

( ) ( ) (×)

6 어떤 모양의 일부분을 나타낸 그림입니다. 알맞은 모양을 찾아 선으로 이어 보세요.

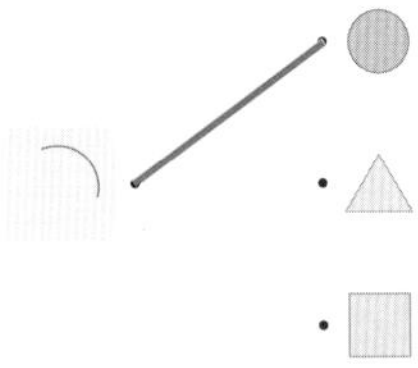

[7~9] 물건을 보고 물음에 답하세요.

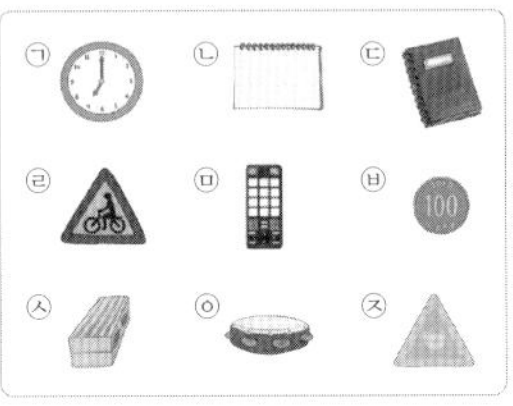

7 본을 떴을 때 곧은 선이 4개 있는 물건을 모두 찾아 기호를 쓰세요.

㉡, ㉢, ㉤, ㉦

8 본을 떴을 때 곧은 선이 3개 있는 물건을 모두 찾아 기호를 쓰세요.

(㉣, ㉨)

9 본을 떴을 때 곧은 선과 뾰족한 부분이 없는 물건을 모두 찾아 기호를 쓰세요.

(㉠, ㉥, ㉧)

10 색종이를 다음과 같이 접은 다음 펼쳐서 접힌 선을 따라 자르면 △ 모양이 몇 개 생길까요?

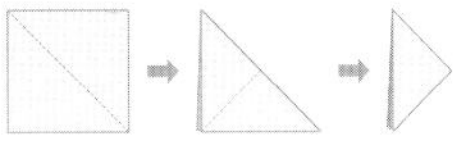

(4)개

11 모양을 만드는 데 사용한 □, △, ○ 모양은 각각 몇 개일까요?

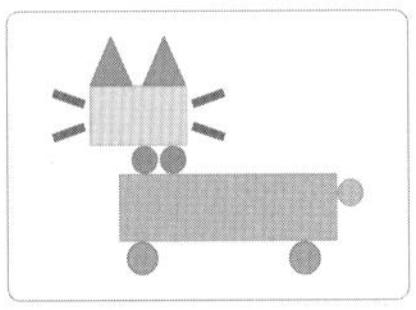

□ 모양: 6 개

△ 모양: 2 개

○ 모양: 5 개

12 주어진 모양을 모두 사용하여 만들 수 있는 모양에 ○표 하세요.

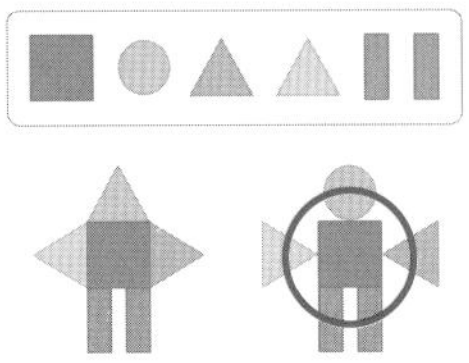

13 색종이로 다음과 같은 모양을 꾸몄습니다. 가장 많이 사용한 모양은 가장 적게 사용한 모양보다 몇 개 더 많을까요?

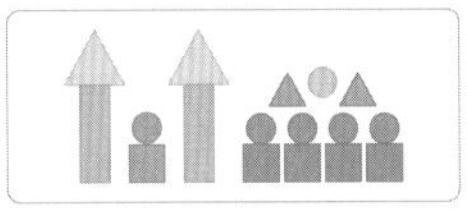

(3)개

■ 모양: 7개, ▲ 모양: 4개, ● 모양: 6개

14 시각을 읽어 보세요.

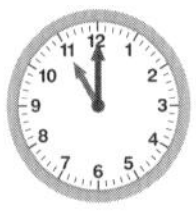

11 시

15 시각에 알맞게 시곗바늘을 그려 넣으세요.

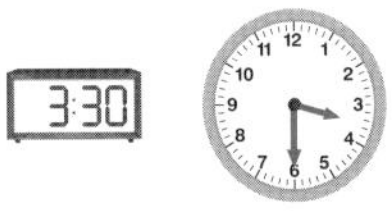

16 같은 시각끼리 선으로 이으세요.

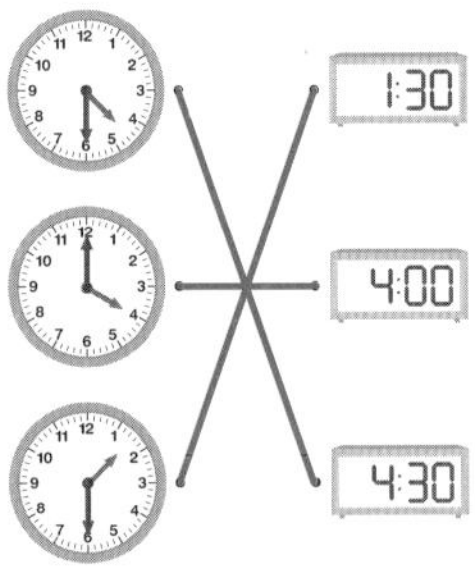

17 시곗바늘이 잘못 그려진 시계를 찾아 ×표 하세요.

( ) (×) ( )

18 시계의 짧은바늘과 긴바늘이 동시에 12를 가리키는 시각을 쓰세요.

(12)시

19 재석, 명수, 세호가 오늘 숙제를 끝낸 시각을 나타낸 것입니다. 숙제를 가장 먼저 끝낸 사람은 누구일까요?

재석 명수 세호

(세호)

재석: 4시, 명수: 4시 30분, 세호: 3시 30분

20 선미가 텔레비전을 보기 시작한 시각을 설명한 것입니다. 선미가 텔레비전을 보기 시작한 시각은 몇 시 몇 분일까요?

- 5시와 6시 사이의 시각입니다.
- 긴바늘이 숫자 6을 가리킵니다.

(5)시 (30)분

01 두 수 더하기

정답 25쪽

🔹 이어 세기로 두 수 더하기

$6 + 3 = 9$

큰 수 6에서 3을 이어 세기

$2 + 7 = 9$

큰 수 7에서 2를 이어 세기

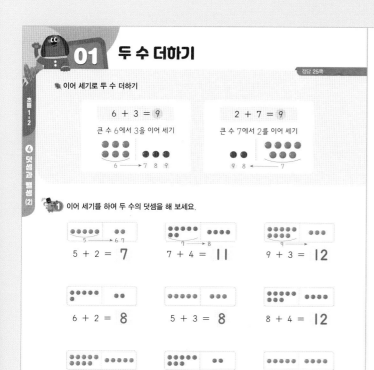

1 이어 세기를 하여 두 수의 덧셈을 해 보세요.

$5 + 2 = 7$ $7 + 4 = 11$ $9 + 3 = 12$

$6 + 2 = 8$ $5 + 3 = 8$ $8 + 4 = 12$

$9 + 5 = 14$ $8 + 2 = 10$ $5 + 4 = 9$

$7 + 3 = 10$ $6 + 3 = 9$ $8 + 5 = 13$

2 이어 세기를 하여 두 수의 덧셈을 해 보세요.

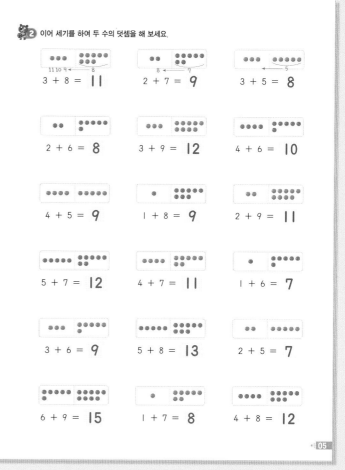

$3 + 8 = 11$ $2 + 7 = 9$ $3 + 5 = 8$

$2 + 6 = 8$ $3 + 9 = 12$ $4 + 6 = 10$

$4 + 5 = 9$ $1 + 8 = 9$ $2 + 9 = 11$

$5 + 7 = 12$ $4 + 7 = 11$ $1 + 6 = 7$

$3 + 6 = 9$ $5 + 8 = 13$ $2 + 5 = 7$

$6 + 9 = 15$ $1 + 7 = 8$ $4 + 8 = 12$

3 안에 알맞은 수를 써넣으세요.

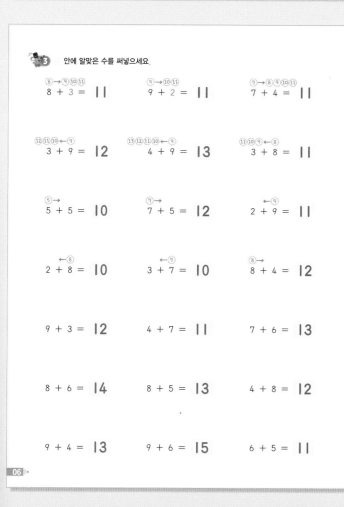

⑧→⑨⑩⑪
$8 + 3 = 11$

⑨→⑩⑪
$9 + 2 = 11$

⑦→⑧⑨⑩⑪
$7 + 4 = 11$

⑫⑪⑩←⑨
$3 + 9 = 12$

⑬⑫⑪⑩←⑨
$4 + 9 = 13$

⑪⑩⑨←⑧
$3 + 8 = 11$

⑤→
$5 + 5 = 10$

⑦→
$7 + 5 = 12$

←⑨
$2 + 9 = 11$

←⑧
$2 + 8 = 10$

←⑦
$3 + 7 = 10$

⑧→
$8 + 4 = 12$

$9 + 3 = 12$ $4 + 7 = 11$ $7 + 6 = 13$

$8 + 6 = 14$ $8 + 5 = 13$ $4 + 8 = 12$

$9 + 4 = 13$ $9 + 6 = 15$ $6 + 5 = 11$

4 그림을 보고 두 수를 바꾸어 더해 보고, 알 수 있는 사실을 완성해 보세요.

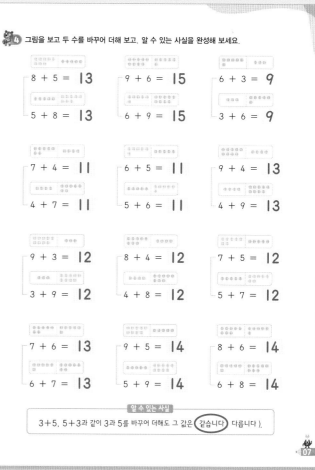

$8 + 5 = 13$ $9 + 6 = 15$ $6 + 3 = 9$
$5 + 8 = 13$ $6 + 9 = 15$ $3 + 6 = 9$

$7 + 4 = 11$ $6 + 5 = 11$ $9 + 4 = 13$
$4 + 7 = 11$ $5 + 6 = 11$ $4 + 9 = 13$

$9 + 3 = 12$ $8 + 4 = 12$ $7 + 5 = 12$
$3 + 9 = 12$ $4 + 8 = 12$ $5 + 7 = 12$

$7 + 6 = 13$ $9 + 5 = 14$ $8 + 6 = 14$
$6 + 7 = 13$ $5 + 9 = 14$ $6 + 8 = 14$

알 수 있는 사실

3＋5, 5＋3과 같이 3과 5를 바꾸어 더해도 그 값은 (⃝같습니다 , 다릅니다).

02 뒤의 수를 가르기 하여 (몇)+(몇) 계산하기

정답 26쪽

$9 + 7$ → $9 + 1 + 6$

$9 + 7 = 16$

$10 + 6$

1 그림을 보고 뒤의 수를 가르기 하여 덧셈을 해 보세요.

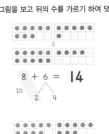

$8 + 6 = 14$
10   2   4

$7 + 5 = 12$
10   3   2

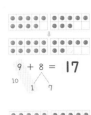

$9 + 8 = 17$
10   1   7

$8 + 4 = 12$
10   2   2

$7 + 6 = 13$
10   3   3

$9 + 3 = 12$
10   1   2

2 뒤의 수를 가르기 하여 덧셈을 해 보세요.

$8 + 7 = 15$
10   2   5

$6 + 5 = 11$
10   4   1

$9 + 8 = 17$
10   1   7

$7 + 7 = 14$
10   3   4

$9 + 5 = 14$
10   1   4

$8 + 4 = 12$
10   2   2

$9 + 7 = 16$
10   1   6

$8 + 3 = 11$
10   2   1

$7 + 5 = 12$
10   3   2

$9 + 4 = 13$
10   1   3

$7 + 6 = 13$
10   3   3

$9 + 2 = 11$
10   1   1

$8 + 5 = 13$
10   2   3

$8 + 8 = 16$
10   2   6

$7 + 4 = 11$
10   3   1

$9 + 6 = 15$
10   1   5

$9 + 9 = 18$
10   1   8

$9 + 3 = 12$
10   1   2

3 뒤의 수를 가르기 하여 덧셈을 해 보세요.

$9 + 6 = 15$
10   1   5

$6 + 5 = 11$
10   4   1

$8 + 4 = 12$
2   2

$7 + 6 = 13$
3   3

$8 + 3 = 11$
2   1

$9 + 8 = 17$
1   7

$6 + 6 = 12$
4   2

$9 + 5 = 14$
1   4

$8 + 5 = 13$
2   3

$7 + 4 = 11$
3   1

$8 + 8 = 16$
2   6

$9 + 2 = 11$
1   1

$9 + 7 = 16$
1   6

$7 + 5 = 12$
3   2

$8 + 6 = 14$
2   4

$9 + 3 = 12$
1   2

$8 + 7 = 15$
2   5

$9 + 4 = 13$
1   3

$8 + 3 = 11$
2   1

$9 + 9 = 18$
1   8

$7 + 7 = 14$
3   4

4 갈림길에서 푯말에 있는 덧셈식에 알맞은 값을 따라가 친구가 있는 곳에 도착해 보세요.

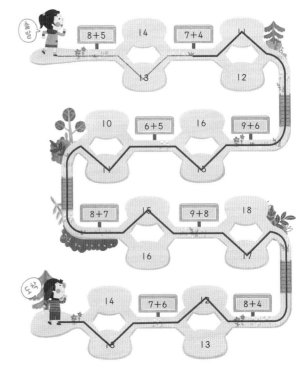

03 앞의 수를 가르기 하여 (몇)+(몇) 계산하기

정답 27쪽

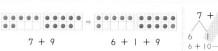

$$7 + 9 = 16$$
$$6 \quad 1$$
$$6 + 10$$

1 그림을 보고 앞의 수를 가르기 하여 덧셈을 해 보세요.

$6 + 7 = 13$
3　10

$4 + 8 = 12$
2　10

$5 + 9 = 14$
4　1　10

$7 + 8 = 15$
5　10

$8 + 9 = 17$
7　1　10

$5 + 6 = 11$
1　4　10

2 앞의 수를 가르기 하여 덧셈을 해 보세요.

$6 + 8 = 14$
4　10

$5 + 9 = 14$
4　10

$3 + 8 = 11$
1　2　10

$4 + 7 = 11$
1　10

$7 + 8 = 15$
5　2

$5 + 7 = 12$
2　3

$8 + 9 = 17$
7　10

$6 + 7 = 13$
3　3

$2 + 9 = 11$
1　1

$7 + 9 = 16$
6　10

$4 + 8 = 12$
2　2

$3 + 9 = 12$
2　1

$6 + 9 = 15$
5　10

$5 + 8 = 13$
3　2

$5 + 6 = 11$
1　4

$4 + 9 = 13$
3　10

$8 + 8 = 16$
6　2

$6 + 6 = 12$
2　4

3 앞의 수를 가르기 하여 덧셈을 해 보세요.

$6 + 9 = 15$
5　1　10

$5 + 7 = 12$
2　3

$4 + 8 = 12$
2　2

$8 + 9 = 17$
7　1

$5 + 8 = 13$
3　2

$6 + 6 = 12$
2　4

$3 + 8 = 11$
1　2

$6 + 7 = 13$
3　3

$6 + 8 = 14$
4　2

$4 + 7 = 11$
1　3

$3 + 9 = 12$
2　1

$5 + 9 = 14$
4　1

$8 + 8 = 16$
6　2

$7 + 7 = 14$
4　3

$5 + 6 = 11$
1　4

$5 + 8 = 13$
3　2

$2 + 9 = 11$
1　1

$4 + 9 = 13$
3　1

$7 + 9 = 16$
6　1

$7 + 8 = 15$
5　2

$6 + 7 = 13$
3　3

4 덧셈 실력을 점검해 보세요.

실력 평가

맞힌 개수 ___개　제한 시간 10분

1. $3 + 8 = 11$
2. $5 + 7 = 12$
3. $7 + 6 = 13$

4. $4 + 9 = 13$
5. $9 + 6 = 15$
6. $6 + 5 = 11$

7. $8 + 6 = 14$
8. $2 + 9 = 11$
9. $8 + 7 = 15$

10. $7 + 9 = 16$
11. $3 + 9 = 12$
12. $5 + 8 = 13$

13. $8 + 3 = 11$
14. $9 + 5 = 14$
15. $4 + 7 = 11$

16. $6 + 8 = 14$
17. $6 + 9 = 15$
18. $9 + 3 = 12$

19. $4 + 8 = 12$
20. $8 + 9 = 17$　수고하셨습니다!

04 뺄셈하기

정답 28쪽

■ 빼는 수만큼 지워서 구하기

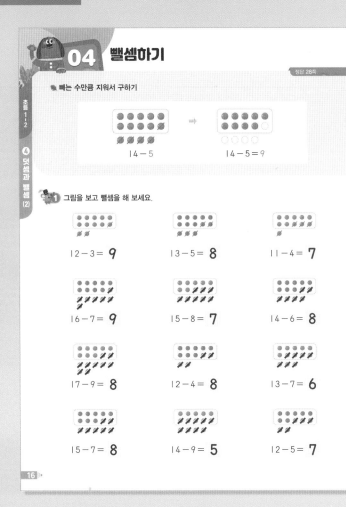

14 − 5

14 − 5 = 9

1 그림을 보고 뺄셈을 해 보세요.

12 − 3 = **9** 13 − 5 = **8** 11 − 4 = **7**

16 − 7 = **9** 15 − 8 = **7** 14 − 6 = **8**

17 − 9 = **8** 12 − 4 = **8** 13 − 7 = **6**

15 − 7 = **8** 14 − 9 = **5** 12 − 5 = **7**

2 식에 알맞게 ╱로 지우며 뺄셈을 해 보세요.

14 − 8 = **6** 12 − 6 = **6** 15 − 9 = **6**

16 − 8 = **8** 18 − 9 = **9** 11 − 3 = **8**

13 − 6 = **7** 17 − 8 = **9** 16 − 9 = **7**

14 − 7 = **7** 11 − 5 = **6** 17 − 9 = **8**

15 − 6 = **9** 12 − 7 = **5** 13 − 9 = **4**

■ 비교하여 구하기

12 − 3

12 − 3 = 9

3 그림을 보고 뺄셈을 해 보세요.

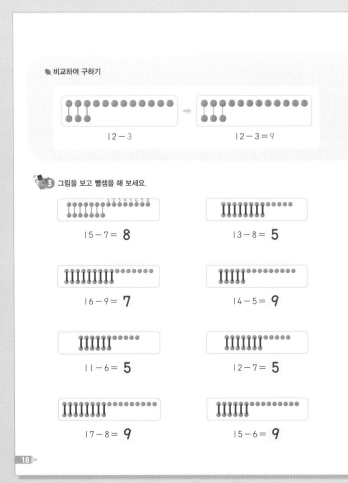

15 − 7 = **8** 13 − 8 = **5**

16 − 9 = **7** 14 − 5 = **9**

11 − 6 = **5** 12 − 7 = **5**

17 − 8 = **9** 15 − 6 = **9**

4 ☐의 개수를 비교하여 뺄셈을 해 보세요.

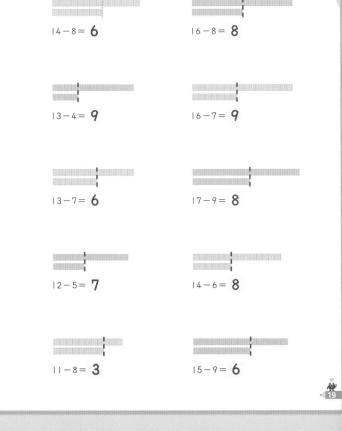

14 − 8 = **6** 16 − 8 = **8**

13 − 4 = **9** 16 − 7 = **9**

13 − 7 = **6** 17 − 9 = **8**

12 − 5 = **7** 14 − 6 = **8**

11 − 8 = **3** 15 − 9 = **6**

05 뒤의 수를 가르기 하여 (십몇)-(몇) 계산하기

정답 29쪽

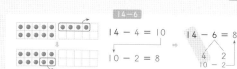

14-6

$14 - 4 = 10$
$10 - 2 = 8$ → $14 - 6 = 8$ (4 2, 10-2)

1 그림을 보고 뒤의 수를 가르기 하여 뺄셈을 해 보세요.

$15 - 8 = 7$ (5 3, 15-5=10 10-3)

$11 - 6 = 5$ (1 5, 11-1=10 10-5)

$16 - 7 = 9$ (6 1, 16-6=10 10-1)

$12 - 5 = 7$ (2 3, 12-2=10 10-3)

$17 - 9 = 8$ (7 2, 17-7=10 10-2)

$13 - 8 = 5$ (3 5, 13-3=10 10-5)

2 뒤의 수를 가르기 하여 뺄셈을 해 보세요.

$12 - 8 = 4$ (10, 2 6, 10-6)
$16 - 8 = 8$ (6 2, 10-2)
$13 - 6 = 7$ (10, 3 3)

$14 - 7 = 7$ (10, 4 3)
$11 - 5 = 6$ (1 4)
$15 - 9 = 6$ (5 4)

$18 - 9 = 9$ (10, 8 1)
$13 - 4 = 9$ (3 1)
$12 - 6 = 6$ (2 4)

$11 - 7 = 4$ (10, 1 6)
$12 - 9 = 3$ (10, 2 7)
$14 - 8 = 6$ (4 4)

$15 - 6 = 9$ (10, 5 1)
$16 - 9 = 7$ (10, 6 3)
$11 - 4 = 7$ (10, 1 3)

$17 - 8 = 9$ (10, 7 1)
$14 - 5 = 9$ (10, 4 1)
$13 - 7 = 6$ (10, 3 4)

3 뒤의 수를 가르기 하여 뺄셈을 해 보세요.

$16 - 8 = 8$ (10, 6 2, 10-2)
$12 - 7 = 5$ (10, 2 5)
$11 - 9 = 2$ (1 8)

$17 - 9 = 8$ (7 2)
$14 - 6 = 8$ (4 2)
$13 - 5 = 8$ (3 2)

$12 - 3 = 9$ (2 1)
$11 - 8 = 3$ (1 7)
$15 - 7 = 8$ (5 2)

$11 - 5 = 6$ (1 4)
$13 - 9 = 4$ (3 6)
$11 - 3 = 8$ (1 2)

$14 - 9 = 5$ (4 5)
$12 - 6 = 6$ (2 4)
$18 - 9 = 9$ (8 1)

$15 - 8 = 7$ (5 3)
$13 - 7 = 6$ (3 4)
$12 - 4 = 8$ (2 2)

$12 - 9 = 3$ (2 7)
$13 - 6 = 7$ (3 3)
$16 - 7 = 9$ (6 1)

4 뺄셈한 값이 큰 쪽의 길을 따라가 집에 도착해 보세요.

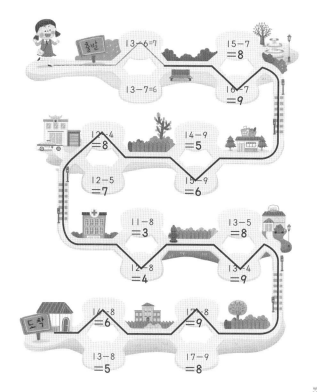

출발
$13-6=7$
$15-7=8$
$13-7=6$
$16-7=9$
$12-4=8$
$14-9=5$
$12-5=7$
$15-9=6$
$11-8=3$
$13-5=8$
$12-8=4$
$13-4=9$
도착
$14-8=6$
$17-8=9$
$13-8=5$
$17-9=8$

29

06 앞의 수를 가르기 하여 (십몇)-(몇) 계산하기

정답 30쪽

14 - 6

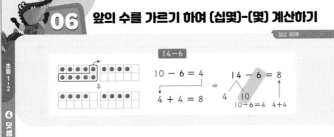

$$10 - 6 = 4$$
$$4 + 4 = 8$$

$$14 - 6 = 8$$
10 10-6=4 4+4

1 그림을 보고 앞의 수를 가르기 하여 뺄셈을 해 보세요.

$13 - 5 = 8$
3 10
10-5=5 5+3

$14 - 7 = 7$
4 10
10-7=3 3+4

$16 - 8 = 8$
6 10
10-8=2 2+6

$17 - 9 = 8$
7 10
10-9=1 1+7

$15 - 7 = 8$
5 10
10-7=3 3+5

$12 - 6 = 6$
2 10
10-6=4 4+2

2 앞의 수를 가르기 하여 뺄셈을 해 보세요.

$13 - 6 = 7$
3 10
10-6=4 4+3

$14 - 8 = 6$
4 10
10-8=2

$11 - 5 = 6$
1 10

$16 - 7 = 9$
6 10

$12 - 8 = 4$
2 10

$15 - 9 = 6$
5 10

$12 - 4 = 8$
2 10

$15 - 8 = 7$
5 10

$11 - 6 = 5$
1 10

$18 - 9 = 9$
8 10

$14 - 5 = 9$
4 10

$13 - 8 = 5$
3 10

$11 - 3 = 8$
1 10

$12 - 7 = 5$
2 10

$13 - 9 = 4$
3 10

$17 - 8 = 9$
7 10

$15 - 6 = 9$
5 10

$11 - 7 = 4$
1 10

3 앞의 수를 가르기 하여 뺄셈을 해 보세요.

$11 - 9 = 2$
1 10
10-9=1 1+1

$16 - 7 = 9$
6 10
10-7=3

$15 - 8 = 7$
5 10

$17 - 8 = 9$
7 10

$11 - 4 = 7$
1 10

$14 - 7 = 7$
4 10

$13 - 9 = 4$
3 10

$14 - 6 = 8$
4 10

$13 - 7 = 6$
3 10

$12 - 8 = 4$
2 10

$12 - 6 = 6$
2 10

$16 - 9 = 7$
6 10

$13 - 4 = 9$
3 10

$15 - 7 = 8$
5 10

$14 - 5 = 9$
4 10

$12 - 9 = 3$
2 10

$11 - 8 = 3$
1 10

$15 - 6 = 9$
5 10

$18 - 9 = 9$
8 10

$13 - 5 = 8$
3 10

$17 - 9 = 8$
7 10

4 뺄셈 실력을 점검해 보세요.

실력 평가

맞힌 개수 ___ 개　제한 시간 **10** 분

1. $12 - 9 = 3$
2. $15 - 8 = 7$
3. $18 - 9 = 9$

4. $14 - 6 = 8$
5. $16 - 9 = 7$
6. $13 - 4 = 9$

7. $11 - 8 = 3$
8. $17 - 8 = 9$
9. $14 - 7 = 7$

10. $12 - 3 = 9$
11. $11 - 5 = 6$
12. $16 - 8 = 8$

13. $15 - 6 = 9$
14. $12 - 5 = 7$
15. $11 - 7 = 4$

16. $17 - 9 = 8$
17. $16 - 7 = 9$
18. $14 - 5 = 9$

19. $13 - 6 = 7$
20. $12 - 8 = 4$
수고하셨습니다!

도전!
응용 문제

초등 1·2

4 덧셈과 뺄셈(2)

정답 31쪽

유형 1

연필꽂이에 연필이 ⑧자루, 색연필이 ⑦자루 있습니다. 연필꽂이에 있는 연필과 색연필은 모두 몇 자루일까요?

■▪ 주어진 수에 ○표 하고, 구하는 것에 밑줄 치기
연필의 수: 8 자루, 색연필의 수: **7** 자루

■▪ 문제 해결하기
연필꽂이에 있는 연필의 수와 색연필의 수를 (더합니다), 뺍니다).

■▪ 문제 풀기
(연필과 색연필의 수)=(연필의 수)+(색연필의 수)
$$= 8 + 7 = 15 \text{ (자루)}$$

■▪ 답 쓰기　연필꽂이에 있는 연필과 색연필은 모두 **15** 자루입니다.

유형+ 1

공원에 비둘기가 ④마리가 있었는데 ⑦마리가 더 날아왔습니다. 공원에 있는 비둘기는 모두 몇 마리일까요?

■▪ 주어진 수에 ○표 하고, 구하는 것에 밑줄 치기
처음에 있던 비둘기의 수: **4** 마리, 날아온 비둘기의 수: **7** 마리

■▪ 문제 해결하기
처음에 있던 비둘기의 수와 날아온 비둘기의 수를 (더합니다), 뺍니다).

■▪ 문제 풀기
(공원에 있는 비둘기의 수)=(처음에 있던 비둘기의 수)+(날아온 비둘기의 수)
$$= 4 + 7 = 11 \text{ (마리)}$$

■▪ 답 쓰기　공원에 있는 비둘기는 모두 **11** 마리입니다.

유형 2

지수는 딱지 ⑭장을 접어서 동생에게 ⑤장을 주었습니다. 남은 딱지는 몇 장일까요?

■▪ 주어진 수에 ○표 하고, 구하는 것에 밑줄 치기
지수가 접은 딱지의 수: **14** 장, 동생에게 준 딱지의 수: **5** 장

■▪ 문제 해결하기
지수가 접은 딱지의 수에서 동생에게 준 딱지의 수를 (더합니다　뺍니다).

■▪ 문제 풀기
(남은 딱지의 수)=(지수가 접은 딱지의 수)-(동생에게 준 딱지의 수)
$$= 14 - 5 = 9 \text{ (장)}$$

■▪ 답 쓰기　남은 딱지는 **9** 장입니다.

유형+ 2

감 따기 체험에서 연주는 감 ⑫개를 땄고, 지훈이는 감 ⑨개를 땄습니다. 연주는 지훈이보다 감을 몇 개 더 많이 땄을까요?

■▪ 주어진 수에 ○표 하고, 구하는 것에 밑줄 치기
연주가 딴 감의 수: **12** 개, 지훈이가 딴 감의 수: **9** 개

■▪ 문제 해결하기
연주가 딴 감의 수에서 지훈이가 딴 감의 수를 (더합니다　뺍니다).

■▪ 문제 풀기
(연주가 더 딴 감의 수)=(연주가 딴 감의 수)-(지훈이가 딴 감의 수)
$$= 12 - 9 = 3 \text{ (개)}$$

■▪ 답 쓰기　연주는 지훈이보다 감을 **3** 개 더 많이 땄습니다.

● 　안에 알맞은 수를 써넣고, 답을 구하세요.

1 Drill

운동장에 축구공이 5개, 농구공이 8개 있습니다. 운동장에 있는 축구공과 농구공은 모두 몇 개일까요?

풀이 (운동장에 있는 공의 수)=(축구공의 수)+(농구공의 수)
$$= 5 + 8 = 13 \text{ (개)}$$

 주어진 수에 ○표 하고,
구하는 것에 밑줄 쫙쫙!

답 **13** 개

2 Drill

하연이는 칭찬딱지를 지난주에 9장 받았고, 이번 주에는 지난주보다 7장 더 많이 받았습니다. 하연이가 이번 주에 받은 칭찬딱지는 몇 장일까요?

풀이 (하연이가 이번 주에 받은 칭찬딱지 수)
=(지난주에 받은 칭찬딱지 수)+(지난주보다 더 받은 칭찬딱지 수)
$$= 9 + 7 = 16 \text{ (장)}$$

답 **16** 장

3 Drill

재호는 파란색 구슬 13개와 빨간색 구슬 8개를 가지고 있습니다. 파란색 구슬은 빨간색 구슬보다 몇 개 더 많을까요?

풀이 (파란색과 빨간색 구슬 수의 차)=(파란색 구슬 수)-(빨간색 구슬 수)
$$= 13 - 8 = 5 \text{ (개)}$$

답 **5** 개

4 Drill

냉장고에 달걀 14개가 있었는데 오늘 아침 6개를 먹었습니다. 냉장고에 남은 달걀은 몇 개일까요?

풀이 (남은 달걀의 수)=(처음에 있던 달걀의 수)-(먹은 달걀의 수)
$$= 14 - 6 = 8 \text{ (개)}$$

답 **8** 개

● 　서술형 문제를 읽고 풀이 과정과 답을 쓰세요.

도전 ①

정후는 빵집에서 소금빵 7개와 크림빵 4개를 샀습니다. 정후가 산 빵은 모두 몇 개일까요?

예 **풀이** (정후가 산 빵 수)=(소금빵 수)+(크림빵 수)
$$=7+4=11 \text{ (개)}$$

답 **11개**

도전 ②

턱걸이를 준우는 5개 하고, 형우는 준우보다 7개 더 했습니다. 형우는 턱걸이를 몇 개 했을까요?

예 **풀이** (형우가 한 턱걸이 수)
=(준우가 한 턱걸이 수)+(준우보다 더 한 턱걸이 수)
$$=5+7=12 \text{ (개)}$$

답 **12개**

도전 ③

지연이의 언니는 지연이보다 4살 많습니다. 언니의 나이가 12살이라면 지연이의 나이는 몇 살일까요?

예 **풀이** (지연이의 나이)=(언니의 나이)-(지연이보다 더 많은 나이)
$$=12-4=8 \text{ (살)}$$

답 **8살**

도전 ④

민재는 색종이로 미니카 15개, 팽이 7개를 접었습니다. 민재가 접은 미니카는 팽이보다 몇 개 더 많을까요?

예 **풀이** (미니카와 팽이 수의 차)=(미니카 수)-(팽이 수)
$$=15-7=8 \text{ (개)}$$

답 **8개**

형성 평가

정답 32쪽 분 점수 점

01 이어 세기를 하여 두 수의 덧셈을 해 보세요.

(1)

$8 + 6 = 14$

(2)

$4 + 9 = 13$

02 그림을 보고 두 수를 바꾸어 더해 보세요.

(1)

$5 + 3 = 8$

$3 + 5 = 8$

(2)

$7 + 8 = 15$

$8 + 7 = 15$

03 그림을 보고 뒤의 수를 가르기 하여 덧셈을 해 보세요.

$8 + 5 = 13$
10 ╱ 2 3

04 뒤의 수를 가르기 하여 덧셈을 해 보세요.

$7 + 6 = 13$
10 ╱ 3 3

05 뒤의 수를 가르기 하여 덧셈을 해 보세요.

(1) $8 + 6 = 14$
     2 4

(2) $9 + 2 = 11$
     1 1

06 덧셈한 값이 가장 큰 것을 찾아 ○표 하세요.

$9 + 6 = 15$ $8 + 7 = 15$ $7 + 9 = 16$
(   )   (   )   (○)

07 그림을 보고 앞의 수를 가르기 하여 덧셈을 해 보세요.

$7 + 8 = 15$
5 ╱ 2 10

08 앞의 수를 가르기 하여 덧셈을 해 보세요.

$9 + 9 = 18$
8 ╱ 1 10

09 앞의 수를 가르기 하여 덧셈을 해 보세요.

(1) $5 + 8 = 13$
     3 2

(2) $9 + 7 = 16$
     6 3

10 덧셈을 해 보세요.

(1) $6 + 7 = 13$

(2) $5 + 9 = 14$

(3) $8 + 3 = 11$

(4) $7 + 7 = 14$

(5) $9 + 4 = 13$

---

11 식에 알맞게 /로 지우며 뺄셈을 해 보세요.

$15 - 9 = 6$

12 비교하여 뺄셈을 해 보세요.

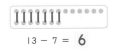

$13 - 7 = 6$

13 그림을 보고 뒤의 수를 가르기 하여 뺄셈을 해 보세요.

$14 - 6 = 8$
     4 2
14-4=10 10-2

14 뒤의 수를 가르기 하여 뺄셈을 해 보세요.

(1) $15 - 8 = 7$
10 ╱ 5 3

(2) $12 - 4 = 8$
10 ╱ 2 2

15 뒤의 수를 가르기 하여 뺄셈을 해 보세요.

(1) $16 - 9 = 7$
     6 3

(2) $14 - 7 = 7$
     4 3

16 뺄셈한 값이 가장 큰 것을 찾아 ○표 하세요.

$15 - 6 = 9$ $15 - 7 = 8$ $15 - 9 = 6$
(○)   (   )   (   )

17 그림을 보고 앞의 수를 가르기 하여 뺄셈을 해 보세요.

$15 - 6 = 9$
5 ╱ 10   ↑
10-6=4   4+5

18 앞의 수를 가르기 하여 뺄셈을 해 보세요.

(1) $16 - 7 = 9$
     6 10

(2) $13 - 9 = 4$
     3 10

19 앞의 수를 가르기 하여 뺄셈을 해 보세요.

(1) $14 - 8 = 6$
     4 10

(2) $12 - 7 = 5$
     2 10

20 뺄셈을 해 보세요.

(1) $17 - 9 = 8$

(2) $15 - 7 = 8$

(3) $11 - 5 = 6$

(4) $12 - 6 = 6$

(5) $13 - 8 = 5$

단원평가 4. 덧셈과 뺄셈[2]
정답 33쪽

1 그림을 보고 뺄셈을 해 보세요.

13 - 6 = 7

2 구슬은 모두 몇 개인지 식을 만들고 계산해 보세요.

5 + 7 = 12
또는 7 + 5 = 12

3 그림을 보고 ☐ 안에 알맞은 수를 써넣으세요.

8 + 6 = 14
  2 4

4 그림을 보고 ☐ 안에 알맞은 수를 써넣으세요.

13 - 7 = 6
       3 4

5 그림을 보고 ☐ 안에 알맞은 수를 써넣으세요.

14 - 8 = 6
   4 10

6 계산을 하세요.

(1) 9 + 7 = 16

(2) 15 - 8 = 7

7 빈 곳에 알맞은 수를 써넣으세요.

8 +9 17

8 ☐ 안에 알맞은 수를 써넣으세요.

17
-8
9

9 ☐ 안에 알맞은 수를 써넣으세요.

6 + 6 = 12
6 + 7 = 13
6 + 8 = 14
6 + 9 = 15

더해지는 수가 같고, 더하는 수가 1씩 커지면 합은 1씩 커집니다.

10 합이 같은 것끼리 선으로 이어 보세요.

8 + 7   6 + 5
5 + 6   8 + 9
9 + 8   7 + 8
7 + 9   9 + 7

11 빈칸에 알맞은 수를 써넣으세요.

11-5	11-6	11-7
6	5	4
12-5	12-6	12-7
7	6	5
13-5	13-6	13-7
8	7	6
14-5	14-6	14-7
9	8	7

12 차가 8인 뺄셈식을 모두 찾아 ◯표 하세요.

11-4 =7 (   )
14-8 =6 (   )
12-4 =8 (◯)

15-8 =7 (   )
17-9 =8 (◯)
16-9 =7 (   )

13 ☐ 안에 알맞은 수를 써넣으세요.

12 - 7 = 5
13 - 8 = 5
14 - 9 = 5

14 계산 결과가 더 큰 것을 찾아 기호를 쓰세요.

㉠ 6 + 6   ㉡ 4 + 7
  = 12   = 11

(㉠)

15 계산 결과가 가장 큰 것부터 차례로 기호를 쓰세요.

㉠ 11-5   ㉡ 12-3
㉢ 15-7   ㉣ 16-9

(㉡, ㉢, ㉣, ㉠)

㉠: 6 ㉡: 9 ㉢: 8 ㉣: 7

16 두 수의 합을 구한 후 그 합에 해당하는 글자를 찾아 쓰세요.

14	15	16	17	18
파	오	팅	이	달

8 + 6 = 14 ➡ 파
9 + 8 = 17 ➡ 이
7 + 9 = 16 ➡ 팅

17 ★에 알맞은 수를 구하세요.

5 + 4 = ●
● + 7 = ★

(16)

● = 9
9 + 7 = ★ → ★ = 16

18 영호는 발표 붙임딱지 9장과 칭찬 붙임딱지 6장을 받았습니다. 영호가 받은 붙임딱지는 모두 몇 장일까요?

(15)장

9 + 6 = 15(장)

19 ㉠과 ㉡에 알맞은 수의 합을 구하세요.

14 - 8 = ㉠
17 - 9 = ㉡

(14)

㉠: 6 ㉡: 8
→ ㉠ + ㉡ = 6 + 8 = 14

20 진수는 양손에 동전을 모두 13개 쥐고 있습니다. 왼손에 동전을 8개 쥐고 있다면, 오른손에 쥐고 있는 동전은 몇 개인지 풀이 과정을 쓰고 답을 구하세요.

예 **풀이** (오른손의 동전 수)
= (전체 동전 수) - (왼손의 동전 수)
= 13 - 8 = 5(개)

답 5개

01 규칙 찾기

정답 34쪽

🧩 반복되는 부분 찾기

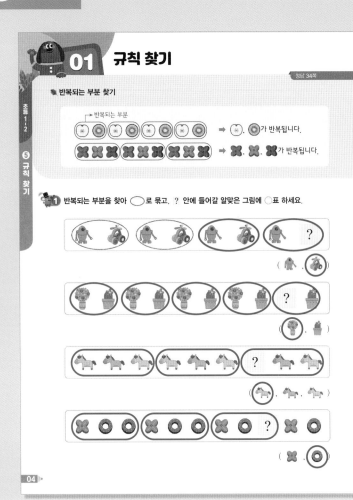

1 반복되는 부분을 찾아 ◯로 묶고, ? 안에 들어갈 알맞은 그림에 ◯표 하세요.

2 반복되는 부분을 찾아 /로 표시하고, 안에 알맞게 써넣어 규칙을 완성하세요.

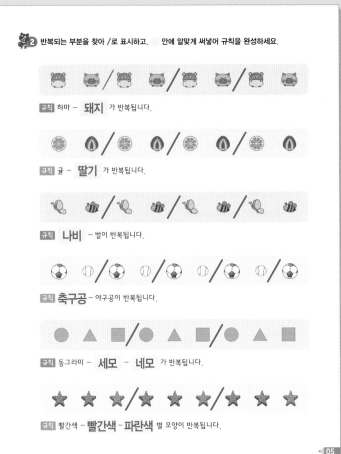

규칙 하마 - **돼지** 가 반복됩니다.

규칙 귤 - **딸기** 가 반복됩니다.

규칙 **나비** - 벌이 반복됩니다.

규칙 **축구공** - 야구공이 반복됩니다.

규칙 동그라미 - **세모** - **네모** 가 반복됩니다.

규칙 빨간색 - **빨간색** - **파란색** 별 모양이 반복됩니다.

3 규칙을 찾아 ? 안에 들어갈 알맞은 모양에 ◯표 하세요.

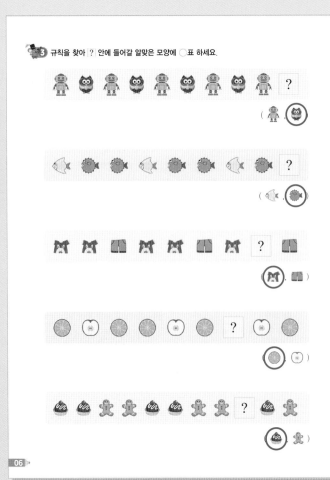

4 규칙에 따라 빈칸에 알맞게 색칠해 보세요. 준비물 색연필

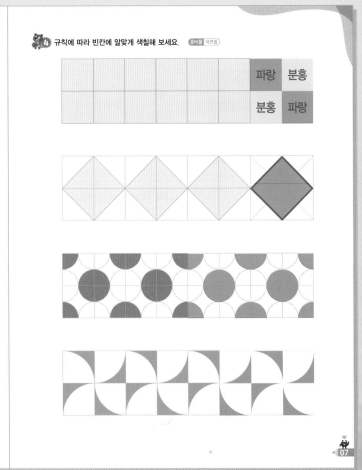

02 규칙 만들기

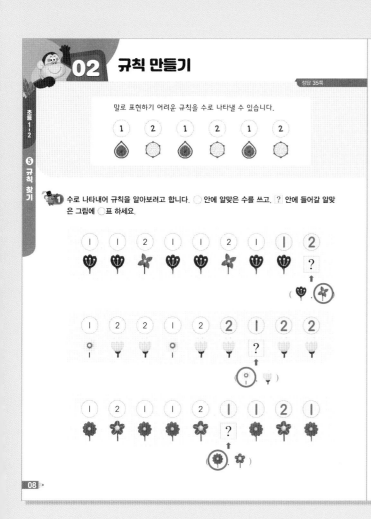

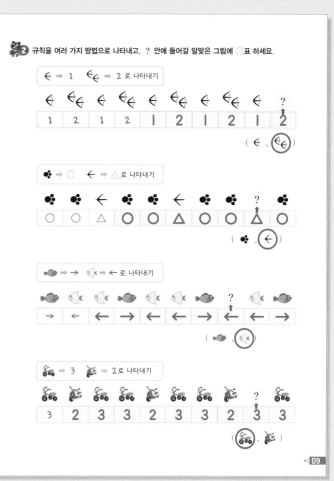

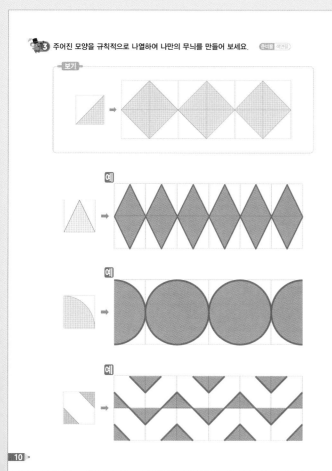

초1·2

⑤ 규칙 찾기

03 수 배열표에서 규칙 찾기

정답 36쪽

반복되는 부분

반복되는 규칙   6 9 | 6 9 | 6 9 | 6 9

규칙 6, 9가 반복됩니다.

커지거나 작아지는 규칙   2 4 6 8 10 12 14 16
+2 +2 +2

규칙 2부터 시작하여 2씩 커집니다.

1 규칙에 따라 빈 곳에 알맞은 수를 써넣으세요.

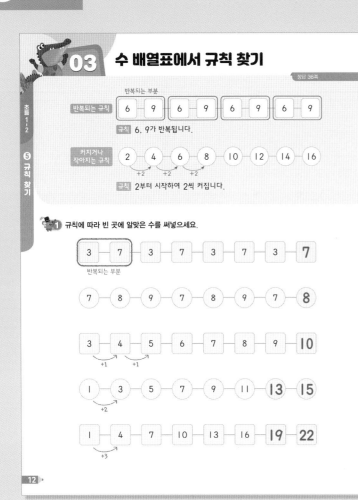

3 7 | 3 7 | 3 7 | 3 7
반복되는 부분

7 8 9 8 9 8 9 8

3 4 5 6 7 8 9 10
+1 +1

1 3 5 7 9 11 13 15
+2

1 4 7 10 13 16 19 22
+3

2 규칙을 찾아 빈 곳에 알맞은 수를 써넣고, 규칙을 완성하세요.

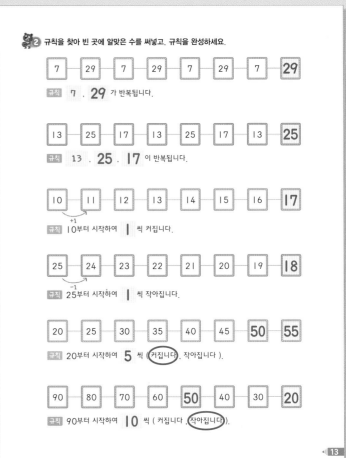

7 29 7 29 7 29 7 29

규칙 7, 29 가 반복됩니다.

13 25 17 13 25 17 13 25

규칙 13, 25, 17 이 반복됩니다.

10 11 12 13 14 15 16 17
+1

규칙 10부터 시작하여 1씩 커집니다.

25 24 23 22 21 20 19 18
-1

규칙 25부터 시작하여 1씩 작아집니다.

20 25 30 35 40 45 50 55

규칙 20부터 시작하여 5씩 (커집니다, 작아집니다).

90 80 70 60 50 40 30 20

규칙 90부터 시작하여 10씩 (커집니다, 작아집니다).

3 수 배열표에서 규칙을 찾아 ⬜ 안에 알맞은 수를 써넣고, 규칙을 완성하세요.

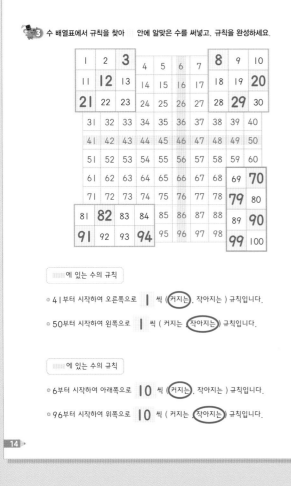

1	2	3	4	5	6	7	8	9	10
11	12	13	14	15	16	17	18	19	20
21	22	23	24	25	26	27	28	29	30
31	32	33	34	35	36	37	38	39	40
41	42	43	44	45	46	47	48	49	50
51	52	53	54	55	56	57	58	59	60
61	62	63	64	65	66	67	68	69	70
71	72	73	74	75	76	77	78	79	80
81	82	83	84	85	86	87	88	89	90
91	92	93	94	95	96	97	98	99	100

▨▨▨ 에 있는 수의 규칙

• 41부터 시작하여 오른쪽으로 1씩 (커지는, 작아지는) 규칙입니다.

• 50부터 시작하여 왼쪽으로 1씩 (커지는, 작아지는) 규칙입니다.

▨▨▨ 에 있는 수의 규칙

• 6부터 시작하여 아래쪽으로 10씩 (커지는, 작아지는) 규칙입니다.

• 96부터 시작하여 위쪽으로 10씩 (커지는, 작아지는) 규칙입니다.

4 규칙을 찾아 수 배열표에 색칠하고, 규칙을 완성하세요. 준비물 색연필

11	12	13	14	15	16	17	18	19	20
21	22		24	25		27	28		30
31		33	34		36	37		39	40

규칙 11부터 시작하여 3씩 뛰어 세는 규칙입니다.

41	42	43	44	45	46	47	48	49	50
51		53		55		57		59	
61		63		65		67		69	

규칙 42부터 시작하여 2씩 뛰어 세는 규칙입니다.

71	72	73	74	75	76	77	78	79	80
81	82	83	84	85	86		88	89	90
	92	93	94		96	97	98		100

규칙 71부터 시작하여 4씩 뛰어 세는 규칙입니다.

61	62	63	64	65	66	67	68	69	70
71	72	73	74	75	76		78	79	80
81		83	84	85	86		88	89	90

규칙 62부터 시작하여 5씩 뛰어 세는 규칙입니다.

도전! 응용 문제

정답 37쪽

초등 1·2

⑤ 규칙 찾기

수를 써서 관찰하면 규칙을 쉽게 찾을 수 있습니다.

$\begin{smallmatrix}1&2\\4&3\end{smallmatrix}$ 라고 할 때, 색칠한 부분이 1→2→3→4의 순서를 반복하면서 움직입니다.

예제 ① 반복되는 규칙을 찾아 ☐ 안에 알맞은 수를 써넣으세요.

규칙 $\begin{smallmatrix}2&3\\1&4\end{smallmatrix}$ 라고 할 때, 색칠한 부분이 **1** → **2** → **3** → **4** 의 순서를 반복하면서 움직입니다.

규칙 $\begin{smallmatrix}3&4&5\\2&1&6\end{smallmatrix}$ 이라고 할 때, 색칠한 부분이 **1** → **3** → **5** 의 순서를 반복하면서 움직입니다.

16

예제 ② 규칙을 찾아 마지막 모양을 완성해 보세요.

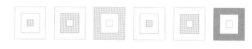

17

예제 ③ 수 배열표의 규칙을 찾아 ☐ 안에 알맞은 수를 써넣으세요.

+1 +1

+8
+8

1	2	3	4	5	6	7	8
9	10	11	12	13	14	15	16
17	18	19	20	21	22	23	24
⋮	⋮	⋮	⋮	⋮	⋮	⋮	⋮
49	50	51	52	53	54	55	56

+8
11	12	13
19	20	
27		
35		

21	22	23	24
30	**31**	32	**33**
	38	**39**	
		47	

	18		
26	27		
33	**34**	35	36
		44	

			21
	28	29	
35	**36**	37	
41	**42**	**43**	44	45

18

예제 ④ 수 배열표의 규칙을 찾아 ☐ 안에 알맞은 수를 써넣으세요.

+1

+6
+6
+6

1	2	3	4	5	6
7	8	9	10	11	12
13	14	15	16	17	
19	20	21	2		**24**

규칙 오른쪽 방향으로 **1** 씩 커지고, 아래쪽 방향으로 **6** 씩 커집니다.

11	12	13		
17	18	19		**22**
23	24	25	26	27	28
29	30	31	32	33	34

규칙 오른쪽 방향으로 **1** 씩 커지고, 아래쪽 방향으로 **6** 씩 커집니다.

10	11	12	13	14	15	16
17	18	19	20	21	22	23
24	25			28	29	30
31	32		**34**		36	37

규칙 오른쪽 방향으로 **1** 씩 커지고, 아래쪽 방향으로 **7** 씩 커집니다.

19

형성 평가

정답 38쪽

[01~02] 반복되는 부분을 찾아 ◯로 묶고, ? 안에 들어갈 알맞은 그림에 ◯표 하세요.

01

(🍎 . 🍎)

02

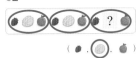

(🍅 . 🍎)

03 반복되는 부분을 찾아 /로 표시하고, ◯ 안에 알맞게 써넣어 규칙을 완성하세요.

규칙 강아지 - **토끼** - **고양이** 가 반복됩니다.

[04~05] 규칙을 찾아 ? 안에 들어갈 알맞은 그림에 ◯표 하세요.

04

05

(🐟 . 🐟)

06 규칙에 따라 빈칸에 알맞게 색칠해 보세요.

07 규칙에 따라 빈 곳에 알맞은 수를 써넣으세요.

(1)

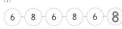

(2)

[08~09] 규칙을 찾아 빈 곳에 알맞은 수를 써넣고, 규칙을 완성하세요.

08

규칙 **1 . 3 . 5** 가 반복됩니다.

09

규칙 **10**부터 시작하여 **5** 씩
(**커집니다** . 작아집니다).

10 수 배열표에서 규칙을 찾아 알맞게 답하세요.

31	32	33	34	35	36	37
38	39	40	41	42	43	44
45	46	47	48	49	50	51
52	53	54	55	56	57	58

(1) ▨에 있는 수들은 45부터 시작하여
오른쪽으로 **1** 씩
(**커지는** . 작아지는) 규칙입니다.

(2) ▨에 있는 수들은 35부터 시작하여
아래쪽으로 **7** 씩
(**커지는** . 작아지는) 규칙입니다.

11 규칙을 찾아 수 배열표에 색칠하고, 규칙을 완성하세요.

60	61	62	63	64	65	66	67
68	69	70	71		73	74	
76	77		79	80		82	83

규칙 60부터 시작하여 **3** 씩 뛰어 세는
규칙입니다.

20 · · 21

12 그림을 수로 나타내어 규칙을 알아보려고 합니다. ◯ 안에 알맞은 수를 쓰고, 빈 곳에 들어갈 알맞은 그림에 ◯표 하세요.

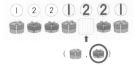

(🎁 . 🎁)

13 규칙을 여러 가지 방법으로 나타내고, ? 안에 들어갈 알맞은 그림에 ◯표 하세요.

(1) 🎲 ➡ 1 , 🧽 ➡ 2 로 나타내기

(🎲 . 🧽)

(2) ▲ ➡ 3 , ■ ➡ 4 로 나타내기

14 주어진 조각을 규칙적으로 나열하여 나만의 무늬를 만들어 보세요.

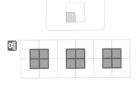

15 주어진 수 카드를 사용하여 규칙을 만들어 보세요.

| 1 | 2 | 3 | 4 | 5 | 6 |
| 7 | 8 | 9 | 10 | 11 | 12 |

예

| 1 | 3 | 5 | 7 | 9 | 11 |

예 ➡ **1** 부터 시작하여 **2**씩
커지는 규칙입니다.

16 규칙에 따라 빈 곳에 알맞은 수를 써넣으세요.

➡ ❄ 이라고 할 때, 색칠한 부분이
1 → 3 → 5 의 순서를
반복하면서 움직입니다.

[17~18] 규칙을 찾아 마지막 모양을 완성해 보세요.

17

18

19 수 배열표에서 규칙을 찾아 ▨ 안에 알맞은 수를 써넣으세요.

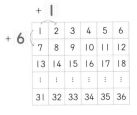

20 수 배열표의 규칙을 찾아 ▨ 안에 알맞은 수를 써넣으세요.

10	11	12		
15	16	17		**19**
20	21	22		
25	26	27	28	24

규칙 오른쪽 방향으로 **1** 씩 커지고,
아래쪽 방향으로 **5** 씩 커집니다.

22 · · 23

단원평가 　5. 규칙 찾기

1 규칙을 찾아 　안에 과일 이름을 써넣으세요.

딸기 – 참외 – 참외 가 반복됩니다.

2 규칙에 따라 ? 안에 들어갈 알맞은 동물에 ○표 하세요.

(🐱). 🐶

3 ■. ▲. ★ 이 반복되는 규칙으로 늘어놓을 때 ▲가 들어갈 곳의 기호를 모두 쓰세요.

(**㉠, ㉣, ㉥**)

4 ? 안에 알맞은 모양의 물건을 찾아 기호를 쓰세요.

(**㉡**)

? 안에 들어갈 모양: ▲

5 규칙에 따라 알맞게 색칠하세요.

(1)

(2)

6 ◤◥를 이용하여 규칙을 만들어 무늬를 꾸며 보세요.

예

7 규칙에 따라 빈 곳에 알맞은 수를 써넣으세요.

(1) 33 – 37 – 41 – **45** – **49**

(2) 9 – 4 – 9 – 4 – **9** – **4**

(1) 4씩 커집니다.
(2) 9, 4가 반복됩니다.

8 5씩 작아지는 규칙으로 수를 늘어놓으려고 합니다. ㉠에 알맞은 수를 구하세요.

95 ○ ○ ○ ㉠

(**75**)

95 – 90 – 85 – 80 – 75

9 수 배열표를 보고 물음에 답하세요.

10	11	12	13	14	15	16	17
18	19	20	21	22	23	24	
26	27		29	30		32	33
	35	36		38	39		41

(1) 색칠한 수들은 어떤 규칙이 있을까요?

규칙 **3** 씩 커지는 규칙입니다.

(2) 색칠한 규칙에 따라 수 배열표에 색칠하세요.

10 수 배열표에서 색칠한 칸에 들어가는 수들과 같은 규칙이 되도록 ○ 안에 알맞은 수를 써넣으세요.

51	52		54		56	57
				61		
	66		68			
72			75			78

12 – 19 – **26** – **33** – **40**

색칠한 수들의 규칙:
7씩 커지는 규칙입니다.

11 규칙을 수로 나타내려고 합니다. ○ 안에 알맞은 수를 써넣으세요.

➡ ①丨①丨**2**丨①丨**2**

12 규칙을 그림으로 나타내려고 합니다. 안에 알맞게 그려 넣으세요.

➡ □ ○ □ □ ○ □

13 규칙을 바르게 말한 사람은 누구일까요?

은지: 지우개, 연필이 반복되는 규칙이야.
경호: 지우개, 연필, 지우개가 반복되는 규칙이야.

(**경호**)

14 규칙에 따라 빈칸에 알맞은 그림을 그려 넣으세요.

⬇

□	△	○	□	△
○	□	△	○	□
△	○	□	△	○

15 내가 정한 규칙에 따라 수를 늘어놓고, 규칙을 써 보세요.

예 2 6 10 14 18 22

예
규칙 **2부터 4씩 커지는 규칙입니다.**

16 주어진 모양을 규칙적으로 나열하여 나만의 무늬를 만들어 보세요.

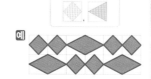

예

17 규칙을 찾아 모양을 완성하세요.

18 수 배열표의 일부분입니다. 규칙을 찾아 빈칸에 알맞은 수를 써넣으세요.

12	13	14	15	16
	20	21	22	
	28	29		
	35			

19 수 배열표의 일부분이 찢어졌습니다. ★에 알맞은 수를 구하세요.

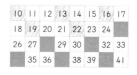

11	12	13		16
17	18		21	22
				★

(**27**)

20 규칙에 따라 바둑돌을 늘어놓을 때 열째 번에 놓이는 바둑돌은 무슨 색인지 쓰세요.

(**검은색**)

(검은색, 흰색, 검은색)이 반복됩니다.

01 받아올림이 없는 (몇십몇)+(몇)

정답 40쪽

🍎 34+2 알아보기

$$
\begin{array}{r} 3\ 4 \\ +\quad 2 \\ \hline \end{array}
\Rightarrow
\begin{array}{r} 3\ 4 \\ +\quad 2 \\ \hline \quad 6 \end{array}
\Rightarrow
\begin{array}{r} 3\ 4 \\ +\quad 2 \\ \hline \quad 6 \\ 3\ 0 \end{array}
\Rightarrow
\begin{array}{r} 3\ 4 \\ +\quad 2 \\ \hline \quad 6 \\ 3\ 0 \\ \hline 3\ 6 \end{array}
$$

1 그림을 보고 　안에 알맞은 수를 써넣으세요.

14 + 4 = **18**

20 + 7 = **27**

17 + 2 = **19**

31 + 4 = **35**

32 + 6 = **38**

23 + 5 = **28**

26 + 3 = **29**

34 + 3 = **37**

2 보기 와 같이 덧셈을 해 보세요.

보기

$$\begin{array}{r} 2\ 3 \\ +\quad 5 \\ \hline 2\ 8 \end{array}$$

$$\begin{array}{r} 8\ 7 \\ +\quad 2 \\ \hline 8\ 9 \end{array}$$

$$\begin{array}{r} 3 \\ +\ 9\ 1 \\ \hline 9\ 4 \end{array}$$

$$\begin{array}{r} 6\ 5 \\ +\quad 3 \\ \hline 6\ 8 \end{array}$$

$$\begin{array}{r} 4\ 3 \\ +\quad 6 \\ \hline 4\ 9 \end{array}$$

$$\begin{array}{r} 4 \\ +\ 5\ 2 \\ \hline 5\ 6 \end{array}$$

$$\begin{array}{r} 3 \\ +\ 7\ 4 \\ \hline 7\ 7 \end{array}$$

$$\begin{array}{r} 8\ 5 \\ +\quad 4 \\ \hline 8\ 9 \end{array}$$

$$\begin{array}{r} 3\ 7 \\ +\quad 1 \\ \hline 3\ 8 \end{array}$$

$$\begin{array}{r} 2\ 3 \\ +\quad 5 \\ \hline 2\ 8 \end{array}$$

$$\begin{array}{r} 2 \\ +\ 4\ 5 \\ \hline 4\ 7 \end{array}$$

$$\begin{array}{r} 1\ 3 \\ +\quad 3 \\ \hline 1\ 6 \end{array}$$

$$\begin{array}{r} 3\ 3 \\ +\quad 1 \\ \hline 3\ 4 \end{array}$$

$$\begin{array}{r} 7\ 3 \\ +\quad 2 \\ \hline 7\ 5 \end{array}$$

$$\begin{array}{r} 4\ 1 \\ +\quad 6 \\ \hline 4\ 7 \end{array}$$

3 보기 와 같이 덧셈을 해 보세요.

보기

62+7= 　　⇒　62+7= 　**9**　⇒　62+7= **6 9**

53+5= **5 8**

41+6= **4 7**

22+4= **2 6**

34+3= **3 7**

65+2= **6 7**

80+5= **8 5**

77+1= **7 8**

97+2= **9 9**

15+4= **1 9**

52+7= **5 9**

73+3= **7 6**

84+2= **8 6**

20+9= **2 9**

31+5= **3 6**

4 덧셈을 하여 가로세로 퍼즐을 완성해 보세요.

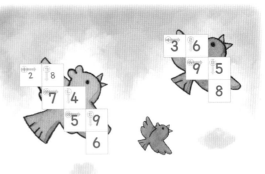

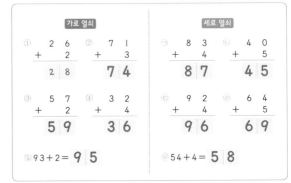

가로 열쇠		세로 열쇠	
① $\begin{array}{r} 2\ 6 \\ +\quad 2 \\ \hline 2\ 8 \end{array}$	② $\begin{array}{r} 7\ 1 \\ +\quad 3 \\ \hline 7\ 4 \end{array}$	㉠ $\begin{array}{r} 8\ 3 \\ +\quad 4 \\ \hline 8\ 7 \end{array}$	㉡ $\begin{array}{r} 4\ 0 \\ +\quad 5 \\ \hline 4\ 5 \end{array}$
③ $\begin{array}{r} 5\ 7 \\ +\quad 2 \\ \hline 5\ 9 \end{array}$	④ $\begin{array}{r} 3\ 2 \\ +\quad 4 \\ \hline 3\ 6 \end{array}$	㉢ $\begin{array}{r} 9\ 2 \\ +\quad 4 \\ \hline 9\ 6 \end{array}$	㉣ $\begin{array}{r} 6\ 4 \\ +\quad 5 \\ \hline 6\ 9 \end{array}$
⑤93+2= **9 5**		㉤54+4= **5 8**	

04 / 05 / 06 / 07

40

02 받아올림이 없는 (몇십)+(몇십)

정답 41쪽

❧ 40+20 알아보기

$$
\begin{array}{r} 4\,0 \\ +\,2\,0 \\ \hline \end{array}
\Rightarrow
\begin{array}{r} 4\,0 \\ +\,2\,0 \\ \hline 0 \end{array}
\Rightarrow
\begin{array}{r} 4\,0 \\ +\,2\,0 \\ \hline 0 \\ 6\,0 \end{array}
\Rightarrow
\begin{array}{r} 4\,0 \\ +\,2\,0 \\ \hline 0 \\ 6\,0 \\ \hline 6\,0 \end{array}
$$

1 그림을 보고 ☐ 안에 알맞은 수를 써넣으세요.

10 + 10 = **20**

20 + 20 = **40**

20 + 10 = **30**

10 + 30 = **40**

30 + 20 = **50**

20 + 40 = **60**

40 + 10 = **50**

30 + 30 = **60**

2 보기와 같이 덧셈을 해 보세요.

보기

$$\begin{array}{r} 2\,0 \\ +\,7\,0 \\ \hline 9\,0 \end{array}$$

$$\begin{array}{r} 1\,0 \\ +\,5\,0 \\ \hline 6\,0 \end{array}$$

$$\begin{array}{r} 3\,0 \\ +\,4\,0 \\ \hline 7\,0 \end{array}$$

$$\begin{array}{r} 2\,0 \\ +\,3\,0 \\ \hline 5\,0 \end{array}$$

$$\begin{array}{r} 4\,0 \\ +\,5\,0 \\ \hline 9\,0 \end{array}$$

$$\begin{array}{r} 3\,0 \\ +\,1\,0 \\ \hline 4\,0 \end{array}$$

$$\begin{array}{r} 6\,0 \\ +\,2\,0 \\ \hline 8\,0 \end{array}$$

$$\begin{array}{r} 5\,0 \\ +\,2\,0 \\ \hline 7\,0 \end{array}$$

$$\begin{array}{r} 5\,0 \\ +\,3\,0 \\ \hline 8\,0 \end{array}$$

$$\begin{array}{r} 8\,0 \\ +\,1\,0 \\ \hline 9\,0 \end{array}$$

$$\begin{array}{r} 2\,0 \\ +\,4\,0 \\ \hline 6\,0 \end{array}$$

$$\begin{array}{r} 4\,0 \\ +\,4\,0 \\ \hline 8\,0 \end{array}$$

$$\begin{array}{r} 1\,0 \\ +\,6\,0 \\ \hline 7\,0 \end{array}$$

$$\begin{array}{r} 3\,0 \\ +\,5\,0 \\ \hline 8\,0 \end{array}$$

$$\begin{array}{r} 2\,0 \\ +\,1\,0 \\ \hline 3\,0 \end{array}$$

$$\begin{array}{r} 7\,0 \\ +\,1\,0 \\ \hline 8\,0 \end{array}$$

$$\begin{array}{r} 3\,0 \\ +\,3\,0 \\ \hline 6\,0 \end{array}$$

$$\begin{array}{r} 6\,0 \\ +\,3\,0 \\ \hline 9\,0 \end{array}$$

3 보기와 같이 덧셈을 해 보세요.

보기
60+20= ☐ ➡ 60+20= ☐ ➡ 60+20= **8**☐

50+30= **8**0

20+40= **6**0

10+40= **5**0

60+30= **9**0

50+20= **7**0

80+10= **9**0

10+10= **2**0

30+30= **6**0

70+20= **9**0

20+10= **3**0

20+30= **5**0

40+30= **7**0

20+60= **8**0

40+50= **9**0

4 빈 곳에 알맞은 수를 써넣으세요.

30, 20 → **50** (30+20)

10, 10 → **20**

30, 30 → **60**

50, 30 → **80**

70, 20 → **90**

20, 10 → **30**

10, 80 → **90**

10, 30 → **40**

50, 20 → **70**

40, 30 → **70**

50, 40 → **90**

30, 40 → **70**

20, 20 → **40**

60, 10 → **70**

30, 50 → **80**

03 받아올림이 없는 (몇십몇)+(몇십몇)

정답 42쪽

13+24 알아보기

$$\begin{array}{r} 1\ 3 \\ +\ 2\ 4 \\ \hline \end{array} \Rightarrow \begin{array}{r} 1\ 3 \\ +\ 2\ 4 \\ \hline 7 \end{array} \Rightarrow \begin{array}{r} 1\ 3 \\ +\ 2\ 4 \\ \hline 7 \\ 3\ 0 \end{array} \Rightarrow \begin{array}{r} 1\ 3 \\ +\ 2\ 4 \\ \hline 7 \\ 3\ 0 \\ \hline 3\ 7 \end{array}$$

1 그림을 보고 □ 안에 알맞은 수를 써넣으세요.

25 + 12 = **37**

18 + 21 = **39**

34 + 14 = **48**

23 + 24 = **47**

16 + 11 = **27**

12 + 33 = **45**

30 + 25 = **55**

15 + 34 = **49**

2 보기 와 같이 덧셈을 해 보세요.

보기

$$\begin{array}{r} 4\ 7 \\ +\ 3\ 2 \\ \hline 7\ 9 \end{array}$$

$$\begin{array}{r} 2\ 4 \\ +\ 3\ 4 \\ \hline 5\ 8 \end{array}$$

$$\begin{array}{r} 5\ 2 \\ +\ 2\ 5 \\ \hline 7\ 7 \end{array}$$

$$\begin{array}{r} 2\ 3 \\ +\ 2\ 5 \\ \hline 4\ 8 \end{array}$$

$$\begin{array}{r} 4\ 1 \\ +\ 5\ 6 \\ \hline 9\ 7 \end{array}$$

$$\begin{array}{r} 6\ 0 \\ +\ 1\ 4 \\ \hline 7\ 4 \end{array}$$

$$\begin{array}{r} 8\ 2 \\ +\ 1\ 6 \\ \hline 9\ 8 \end{array}$$

$$\begin{array}{r} 7\ 4 \\ +\ 2\ 2 \\ \hline 9\ 6 \end{array}$$

$$\begin{array}{r} 5\ 7 \\ +\ 3\ 2 \\ \hline 8\ 9 \end{array}$$

$$\begin{array}{r} 2\ 5 \\ +\ 4\ 3 \\ \hline 6\ 8 \end{array}$$

$$\begin{array}{r} 3\ 2 \\ +\ 5\ 2 \\ \hline 8\ 4 \end{array}$$

$$\begin{array}{r} 1\ 3 \\ +\ 1\ 6 \\ \hline 2\ 9 \end{array}$$

$$\begin{array}{r} 6\ 4 \\ +\ 1\ 0 \\ \hline 7\ 4 \end{array}$$

$$\begin{array}{r} 1\ 5 \\ +\ 8\ 1 \\ \hline 9\ 6 \end{array}$$

$$\begin{array}{r} 4\ 6 \\ +\ 3\ 3 \\ \hline 7\ 9 \end{array}$$

$$\begin{array}{r} 5\ 4 \\ +\ 2\ 4 \\ \hline 7\ 8 \end{array}$$

$$\begin{array}{r} 3\ 2 \\ +\ 3\ 6 \\ \hline 6\ 8 \end{array}$$

$$\begin{array}{r} 7\ 5 \\ +\ 2\ 3 \\ \hline 9\ 8 \end{array}$$

3 보기 와 같이 덧셈을 해 보세요.

보기

54+13= ⇒ 54+13= 7 ⇒ 54+13= 6 7

21+47= **6 8**

62+35= **9 7**

16+70= **8 6**

53+32= **8 5**

83+14= **9 7**

45+22= **6 7**

36+42= **7 8**

60+27= **8 7**

74+23= **9 7**

54+10= **6 4**

48+31= **7 9**

85+12= **9 7**

25+33= **5 8**

63+24= **8 7**

4 빈칸에 알맞은 수를 써넣으세요.

+	→
26	41	**67**

26+41

+	→
25	34	**59**

+	→
32	55	**87**

+	→
16	72	**88**

+	→
34	33	**67**

+	→
12	26	**38**

+	→
43	52	**95**

+	→
84	13	**97**

+	→
24	64	**88**

+	→
42	36	**78**

+	→
35	11	**46**

+	→
45	23	**68**

+	→
13	43	**56**

+	→
53	40	**93**

+	→
36	21	**57**

+	→
25	34	**59**

+	→
13	85	**98**

+	→
63	24	**87**

04 받아내림이 없는 (몇십몇)-(몇)

정답 43쪽

※ 36 − 4 알아보기

	3 6			3 6			3 6			3 6
−	4	→	−	4	→	−	4	→	−	4
				2			2			2
						3 0			3 0
									3 2

1 그림을 보고 ⬜ 안에 알맞은 수를 써넣으세요.

24 − 3 = 21

38 − 5 = 33

35 − 2 = 33

19 − 4 = 15

46 − 6 = 40

28 − 7 = 21

16 − 3 = 13

27 − 5 = 22

2 보기 와 같이 뺄셈을 해 보세요.

보기

	4 8
−	3
4	**5**

	3 5			8 6
−	2		−	3
	3 3			**8 3**

	1 7			5 8			2 6
−	3		−	5		−	4
	1 4			**5 3**			**2 2**

	3 9			7 4			4 5
−	9		−	2		−	1
	3 0			**7 2**			**4 4**

	2 9			1 8			6 7
−	6		−	7		−	5
	2 3			**1 1**			**6 2**

	9 8			8 4			3 6
−	6		−	2		−	3
	9 2			**8 2**			**3 3**

	1 5			7 4			4 5
−	4		−	3		−	3
	1 1			**7 1**			**4 2**

3 보기 와 같이 뺄셈을 해 보세요.

보기

68−3= ➡ 68−3=⬜5 ➡ 68−3=6 5

57−4= **5 3**　　35−2= **3 3**

26−3= **2 3**　　44−1= **4 3**

69−5= **6 4**　　84−2= **8 2**

78−4= **7 4**　　97−3= **9 4**

13−2= **1 1**　　52−2= **5 0**

76−4= **7 2**　　49−7= **4 2**

25−3= **2 2**　　36−5= **3 1**

4 뺄셈한 값이 작은 쪽의 길을 따라가 집에 도착해 보세요.

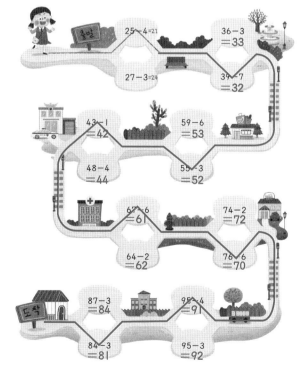

출발
25−4=21
36−3 =33
27−3=24
39−7 =32
43−1 =42
59−6 =53
48−4 =44
55−3 =52
67−6 =61
74−2 =72
64−2 =62
76−6 =70
도착
87−3 =84
95−4 =91
84−3 =81
95−3 =92

05 받아내림이 없는 (몇십)-(몇십)

정답 44쪽

◆ 50-20 알아보기

$$\begin{array}{r} 5\,0 \\ -\,2\,0 \\ \hline \end{array}$$ ⇒ $$\begin{array}{r} 5\,0 \\ -\,2\,0 \\ \hline \,0 \end{array}$$ ⇒ $$\begin{array}{r} 5\,0 \\ -\,2\,0 \\ \hline \,0 \\ 3\,0 \end{array}$$ ⇒ $$\begin{array}{r} 5\,0 \\ -\,2\,0 \\ \hline \,0 \\ 3\,0 \\ \hline 3\,0 \end{array}$$

1 그림을 보고 ☐ 안에 알맞은 수를 써넣으세요.

30 - 10 = **20**

40 - 30 = **10**

20 - 10 = **10**

50 - 30 = **20**

30 - 20 = **10**

40 - 10 = **30**

40 - 20 = **20**

50 - 20 = **30**

---

2 보기 와 같이 뺄셈을 해 보세요.

보기
$$\begin{array}{r} 7\,0 \\ -\,4\,0 \\ \hline 3\,0 \end{array}$$

$$\begin{array}{r} 8\,0 \\ -\,1\,0 \\ \hline 7\,0 \end{array}$$

$$\begin{array}{r} 5\,0 \\ -\,3\,0 \\ \hline 2\,0 \end{array}$$

$$\begin{array}{r} 3\,0 \\ -\,2\,0 \\ \hline 1\,0 \end{array}$$

$$\begin{array}{r} 5\,0 \\ -\,1\,0 \\ \hline 4\,0 \end{array}$$

$$\begin{array}{r} 6\,0 \\ -\,3\,0 \\ \hline 3\,0 \end{array}$$

$$\begin{array}{r} 9\,0 \\ -\,5\,0 \\ \hline 4\,0 \end{array}$$

$$\begin{array}{r} 7\,0 \\ -\,2\,0 \\ \hline 5\,0 \end{array}$$

$$\begin{array}{r} 2\,0 \\ -\,1\,0 \\ \hline 1\,0 \end{array}$$

$$\begin{array}{r} 4\,0 \\ -\,2\,0 \\ \hline 2\,0 \end{array}$$

$$\begin{array}{r} 8\,0 \\ -\,4\,0 \\ \hline 4\,0 \end{array}$$

$$\begin{array}{r} 9\,0 \\ -\,6\,0 \\ \hline 3\,0 \end{array}$$

$$\begin{array}{r} 3\,0 \\ -\,1\,0 \\ \hline 2\,0 \end{array}$$

$$\begin{array}{r} 5\,0 \\ -\,2\,0 \\ \hline 3\,0 \end{array}$$

$$\begin{array}{r} 7\,0 \\ -\,5\,0 \\ \hline 2\,0 \end{array}$$

$$\begin{array}{r} 4\,0 \\ -\,3\,0 \\ \hline 1\,0 \end{array}$$

$$\begin{array}{r} 6\,0 \\ -\,2\,0 \\ \hline 4\,0 \end{array}$$

$$\begin{array}{r} 8\,0 \\ -\,5\,0 \\ \hline 3\,0 \end{array}$$

---

3 보기 와 같이 뺄셈을 해 보세요.

보기
60-20= ⇒ 60-20= ☐0 ⇒ 60-20= 4 0

40-20= **2 0**   70-40= **3 0**

20-10= **1 0**   60-20= **4 0**

50-30= **2 0**   30-10= **2 0**

90-40= **5 0**   30-20= **1 0**

70-30= **4 0**   40-10= **3 0**

60-40= **2 0**   80-20= **6 0**

80-50= **3 0**   90-70= **2 0**

---

4 ☐ 안에 알맞은 수를 써넣으세요.

30 → -20 → 30-20 **10**

40 → -10 → **30**

50 → -30 → **20**

90 → -40 → **50**

60 → -20 → **40**

70 → -60 → **10**

80 → -20 → **60**

70 → -50 → **20**

60 → -30 → **30**

40 → -20 → **20**

20 → -10 → **10**

50 → -20 → **30**

80 → -40 → **40**

90 → -80 → **10**

30 → -10 → **20**

06 받아내림이 없는 (몇십몇)-(몇십몇)

37-12 알아보기

$$
\begin{array}{r} 3\,7 \\ -\,1\,2 \\ \hline \end{array}
\Rightarrow
\begin{array}{r} 3\,7 \\ -\,1\,2 \\ \hline 5 \end{array}
\Rightarrow
\begin{array}{r} 3\,7 \\ -\,1\,2 \\ \hline 5 \\ 2\,0 \end{array}
\Rightarrow
\begin{array}{r} 3\,7 \\ -\,1\,2 \\ \hline 5 \\ 2\,0 \\ \hline 2\,5 \end{array}
$$

1. 그림을 보고 안에 알맞은 수를 써넣으세요.

25 - 13 = 12   38 - 24 = 14

33 - 21 = 12   26 - 16 = 10

45 - 22 = 23   36 - 15 = 21

29 - 17 = 12   44 - 30 = 14

2. 보기와 같이 뺄셈을 해 보세요.

보기:
$$\begin{array}{r}5\,6\\-\,2\,1\\\hline 3\,5\end{array}$$

47-25 = 22   84-42 = 42

38-15 = 23   54-32 = 22   65-24 = 41

98-46 = 52   86-53 = 33   44-20 = 24

29-13 = 16   73-41 = 32   97-55 = 42

51-30 = 21   46-14 = 32   77-32 = 45

36-24 = 12   63-32 = 31   84-54 = 30

3. 보기와 같이 뺄셈을 해 보세요.

보기: 47-23= ⇒ 47-23= 4 ⇒ 47-23= 2 4

54-31= 23   67-42= 25

38-14= 24   45-33= 12

76-25= 51   89-56= 33

23-12= 11   98-47= 51

65-32= 33   46-23= 23

84-44= 40   37-25= 12

77-30= 47   58-26= 32

4. 빈칸에 알맞은 수를 써넣으세요.

67 43 24   59 36 23   35 14 21

47 24 23   85 34 51   48 23 25

63 21 42   36 15 21   76 63 13

94 64 30   45 33 12   53 42 11

58 45 13   87 76 11   34 20 14

65 53 12   99 43 56   77 35 42

도전! 응용 문제

정답 46쪽

유형 1

놀이터에 어린이가 ⑫명 있습니다. ⑥명의 어린이가 더 왔다면 놀이터에 있는 어린이는 모두 몇 명일까요?

■ 주어진 수에 ○표 하고, 구하는 것에 밑줄 치기
　처음에 있던 어린이의 수: **12** 명, 더 온 어린이의 수: **6** 명

■ 문제 해결하기
　처음에 있던 어린이의 수와 더 온 어린이의 수를 (더합니다 , 뺍니다).

■ 문제 풀기
　(놀이터에 있는 어린이의 수)=(처음에 있던 어린이의 수)+(더 온 어린이의 수)
$$= 12 + 6 = 18 \text{(명)}$$

■ 답 쓰기　놀이터에 있는 어린이는 모두 **18** 명입니다.

유형 1+

꽃집에 장미 ㊸송이와 튤립 ⑳송이가 있습니다. 꽃집에 있는 꽃은 모두 몇 송이일까요?

■ 주어진 수에 ○표 하고, 구하는 것에 밑줄 치기
　꽃집에 있는 장미의 수: **43** 송이, 튤립의 수: **20** 송이

■ 문제 해결하기
　꽃집에 있는 장미의 수와 튤립의 수를 (더합니다 , 뺍니다).

■ 문제 풀기
　(꽃집에 있는 꽃의 수)=(장미의 수)+(튤립의 수)
$$= 43 + 20 = 63 \text{(송이)}$$

■ 답 쓰기　꽃집에 있는 꽃은 모두 **63** 송이입니다.

유형 2

윤찬이는 어제 수학 문제를 ⑫문제 풀었고, 오늘은 ㉖문제를 풀었습니다. 오늘은 어제보다 몇 문제 더 풀었을까요?

■ 주어진 수에 ○표 하고, 구하는 것에 밑줄 치기
　어제 푼 수학 문제의 수: **12** 문제, 오늘 푼 수학 문제의 수: **26** 문제

■ 문제 해결하기
　오늘 푼 수학 문제의 수에서 어제 푼 수학 문제의 수를 (더합니다 , 뺍니다).

■ 문제 풀기
　(더 푼 수학 문제의 수)=(오늘 푼 수학 문제의 수)-(어제 푼 수학 문제의 수)
$$= 26 - 12 = 14 \text{(문제)}$$

■ 답 쓰기　오늘 더 푼 수학 문제는 **14** 문제입니다.

유형 2+

도넛 가게에 딸기 도넛이 ㉘개 있었는데 손님에게 ⑬개를 팔았습니다. 남은 딸기 도넛은 몇 개일까요?

■ 주어진 수에 ○표 하고, 구하는 것에 밑줄 치기
　처음에 있던 딸기 도넛의 수: **28** 개, 손님에게 판 딸기 도넛의 수: **13** 개

■ 문제 해결하기
　처음에 있던 딸기 도넛의 수에서 손님에게 판 딸기 도넛의 수를 (더합니다 , 뺍니다).

■ 문제 풀기
　(남은 딸기 도넛의 수)=(처음에 있던 딸기 도넛의 수)-(손님에게 판 딸기 도넛의 수)
$$= 28 - 13 = 15 \text{(개)}$$

■ 답 쓰기　남은 딸기 도넛은 **15** 개입니다.

● □ 안에 알맞은 수를 써넣고, 답을 구하세요.

1 Drill
예준이네 반에는 여학생이 16명, 남학생이 13명입니다. 예준이네 반 학생은 모두 몇 명일까요?

주어진 수에 ○표 하고, 구하는 것에 밑줄 쫙!

풀이 (전체 학생 수)=(여학생의 수)+(남학생의 수)
$$= 16 + 13 = 29 \text{(명)}$$
답 **29** 명

2 Drill
주환이는 산에서 밤을 20개 주웠고, 서윤이는 주환이보다 10개 더 주웠습니다. 서윤이가 주운 밤은 몇 개일까요?

풀이 (서윤이가 주운 밤의 수)=(주환이가 주운 밤의 수)+(주환이보다 더 주운 밤의 수)
$$= 20 + 10 = 30 \text{(개)}$$
답 **30** 개

3 Drill
냉장고에 귤이 38개, 사과가 5개 있습니다. 냉장고에 있는 귤은 사과보다 몇 개 더 많을까요?

풀이 (더 많은 귤의 수)=(귤의 수)-(사과의 수)
$$= 38 - 5 = 33 \text{(개)}$$
답 **33** 개

4 Drill
현수는 냇가에서 물고기 27마리를 잡았는데 14마리를 놓아주었습니다. 남은 물고기는 몇 마리일까요?

풀이 (남은 물고기의 수)=(현수가 잡은 물고기의 수)-(놓아준 물고기의 수)
$$= 27 - 14 = 13 \text{(마리)}$$
답 **13** 마리

● 서술형 문제를 읽고 풀이 과정과 답을 쓰세요.

도전 1
농장에 닭이 42마리, 병아리가 26마리 있습니다. 농장에 있는 닭과 병아리는 모두 몇 마리일까요?

예 풀이 (닭과 병아리 수)=(닭의 수)+(병아리의 수)
$$= 42 + 26 = 68 \text{(마리)}$$
답 **68마리**

도전 2
가영이는 8살이고, 어머니는 가영이보다 31살 더 많습니다. 가영이 어머니는 몇 살일까요?

예 풀이 (어머니의 나이)=(가영이 나이)+(가영이보다 더 많은 나이)
$$= 8 + 31 = 39 \text{(살)}$$
답 **39살**

도전 3
땅콩이 34개, 호두가 13개 있습니다. 땅콩은 호두보다 몇 개 더 많을까요?

예 풀이 (더 많은 땅콩 수)=(땅콩 수)-(호두 수)
$$= 34 - 13 = 21 \text{(개)}$$
답 **21개**

도전 4
회전목마를 타려고 49명이 줄을 섰습니다. 이번에 38명이 회전목마를 탄다면 남는 사람은 몇 명일까요?

예 풀이 (남는 사람 수)
　=(줄 선 사람 수)-(이번에 회전목마를 타는 사람 수)
$$= 49 - 38 = 11 \text{(명)}$$
답 **11명**

형성 평가

정답 47쪽

01 그림을 보고 □ 안에 알맞은 수를 써 넣으세요.

(1)
$$15 + 3 = 18$$

(2)
$$24 + 4 = 28$$

02 덧셈을 해 보세요.

(1)
```
    2 3
  +   5
  ─────
    2 8
```

(2)
```
    9 1
  +   2
  ─────
    9 3
```

03 덧셈을 해 보세요.

(1) $22+4 = 26$

(2) $65+2 = 67$

04 덧셈을 해 보세요.

(1)
```
    3 0
  + 4 0
  ─────
    7 0
```

(2)
```
    1 0
  + 5 0
  ─────
    6 0
```

(3)
```
    6 0
  + 2 0
  ─────
    8 0
```

(4)
```
    3 0
  + 3 0
  ─────
    6 0
```

(5)
```
    2 0
  + 7 0
  ─────
    9 0
```

05 덧셈을 해 보세요.

(1) $10+80 = 90$

(2) $40+40 = 80$

(3) $20+30 = 50$

(4) $50+20 = 70$

(5) $20+40 = 60$

06 빈 곳에 알맞은 수를 써넣으세요.

(1)

70 / 10 / 80

(2)

30 / 60 / 90

07 그림을 보고 □ 안에 알맞은 수를 써 넣으세요.

(1)
$$14 + 12 = 26$$

(2)
$$15 + 21 = 36$$

08 덧셈을 해 보세요.

(1)
```
    4 2
  + 2 5
  ─────
    6 7
```

(2)
```
    5 0
  + 3 6
  ─────
    8 6
```

09 덧셈을 해 보세요.

(1) $32+15 = 47$

(2) $66+23 = 89$

10 빈칸에 알맞은 수를 써넣으세요.

(1)

+		
41	34	75

(2)

+		
26	63	89

11 □ 안에 알맞은 수를 써넣으세요.

(1)
$$16 - 3 = 13$$

(2)
$$27 - 6 = 21$$

12 뺄셈을 해 보세요.

(1)
```
    5 8
  -   4
  ─────
    5 4
```

(2)
```
    3 5
  -   3
  ─────
    3 2
```

13 뺄셈을 해 보세요.

(1) $86-4 = 82$

(2) $59-5 = 54$

14 뺄셈을 해 보세요.

(1)
```
    6 0
  - 2 0
  ─────
    4 0
```

(2)
```
    5 0
  - 4 0
  ─────
    1 0
```

(3)
```
    7 0
  - 1 0
  ─────
    6 0
```

(4)
```
    9 0
  - 4 0
  ─────
    5 0
```

(5)
```
    8 0
  - 6 0
  ─────
    2 0
```

15 뺄셈을 해 보세요.

(1) $80-20 = 60$

(2) $60-30 = 30$

(3) $80-70 = 10$

(4) $70-50 = 20$

(5) $90-20 = 70$

16 □ 안에 알맞은 수를 써넣으세요.

(1)
70
↓
─50
↓
20

(2)
60
↓
─20
↓
40

17 그림을 보고 □ 안에 알맞은 수를 써 넣으세요.

(1)
$$25 - 13 = 12$$

(2)
$$34 - 20 = 14$$

18 뺄셈을 해 보세요.

(1)
```
    7 6
  - 3 3
  ─────
    4 3
```

(2)
```
    5 8
  - 2 6
  ─────
    3 2
```

19 뺄셈을 해 보세요.

(1) $67-26 = 41$

(2) $88-54 = 34$

20 빈칸에 알맞은 수를 써넣으세요.

(1)

-		
53	21	32

(2)

-		
96	44	52

단원 평가 **6. 덧셈과 뺄셈(3)**
정답 48쪽

[1~2] 그림을 보고 □ 안에 알맞은 수를 써넣으세요.

1

42+5= **47**

2

60-20= **40**

3 계산을 하세요.

(1)
```
  2 7
+ 4 2
-----
  6 9
```
(2)
```
  6 9
- 2 5
-----
  4 4
```

4 빈 곳에 알맞은 수를 써넣으세요.

5 모양 안에 있는 수의 합을 구해 보세요.

(**89**)

24+65=89

6 두 수의 합과 차를 구하세요.

| 47 | 21 |

합 (**68**)

차 (**26**)

7 두 수의 차를 빈 곳에 써넣으세요.

79 | 6
73

8 빈칸에 알맞은 수를 써넣으세요.

| 98 | 46 | **52** |

9 그림을 보고 덧셈식을 세워 계산을 하세요.

예 **35 + 23 = 58**
(23) (35)

10 그림을 보고 뺄셈식을 세워 계산을 하세요.

48 - 25 = 23

11 잘못 계산한 사람은 누구일까요?
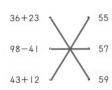

영수: 6+32=38
민국: 5+43=93

(**민국**)

12 관계있는 것끼리 선으로 이어 보세요.

36+23 — 55
98-41 — 57
43+12 — 59

13 계산 결과가 더 큰 것에 ○표 하세요.

84-21	97-33
=63	=64
( )	(○)

14 계산 결과가 나머지 넷과 다른 하나는 어느 것일까요? (**④**)

① 30+2   ② 12+20
③ 21+11   ④ 62-40
⑤ 58-26

15 계산 결과가 큰 것부터 차례로 1, 2, 3을 □ 안에 쓰세요.

32+5	→	**3**
7+31	→	**2**
33+6	→	**1**

16 가장 큰 수와 가장 작은 수의 차를 구하세요.

| 65 | 83 | 34 | 96 |

(**62**)

96-34=62

17 차가 32가 되는 두 수를 찾아 ○표 하세요.

(**63**)   59   (**31**)

18 재석이는 줄넘기를 오전에 42번, 오후에 56번 했습니다. 재석이는 오늘 줄넘기를 모두 몇 번 했을까요?

(**98**)번

42+56=98(번)
(오전) (오후)

19 운동장에 학생이 75명 있습니다. 그 중에서 32명이 남학생일 때, 여학생은 몇 명인지 풀이 과정을 쓰고 답을 구하세요.

예 풀이 (여학생 수)
=(전체 학생 수)-(남학생 수)
=75-32=43(명)

답 **43명**

20 그림을 보고 수수깡의 수를 세어 여러 가지 뺄셈식을 만들어 보세요.
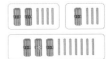

37 - 24 = 13

37 - 13 = 24